圖書館的故事

吳晞\著

開明書店

圖書館的故事

吳晞　著

責任編輯　黃嗣朝
裝幀設計　廖彥彬
排　　版　黎　浪
印　　務　林佳年

出版　開明書店
　　　香港北角英皇道 499 號北角工業大廈一樓 B
　　　電話：(852) 2137 2338　傳真：(852) 2713 8202
　　　電子郵件：info@chunghwabook.com.hk
　　　網址：http://www.chunghwabook.com.hk

發行　香港聯合書刊物流有限公司
　　　香港新界荃灣德士古道 220-248 號
　　　荃灣工業中心 16 樓
　　　電話：(852) 2150 2100　傳真：(852) 2407 3062
　　　電子郵件：info@suplogistics.com.hk

印刷　美雅印刷製本有限公司
　　　香港觀塘榮業街 6 號海濱工業大廈 4 樓 A 室

版次　2021 年 8 月初版
　　　© 2021 開明書店

規格　32 開（190mm×130mm）

ISBN　978-962-459-097-5

本書繁體版由社會科學文獻出版社授權出版

〔清〕吳穀祥《萬卷書樓》

鐵琴銅劍樓建於乾隆年間，是清代四大私家藏書樓之一。

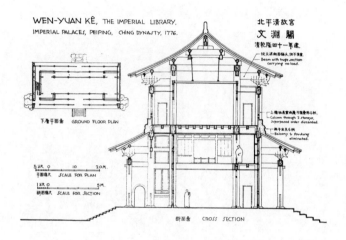

WEN-YUAN KÊ, THE IMPERIAL LIBRARY.
IMPERIAL PALACES, PEIPING, CHING DYNASTY, 1776.

北平清故宮
文 淵 閣
清乾隆四十一年建.

較天淵飾斷截極大,极不負重.
Beam with huge section
carrying no load.

下層平面畵 GROUND FLOOR PLAN

上檐柱高費兩層,下檐斗栱用斗栱.
Column through 2 storeys.
Superposed order discarded.

兩平坐及斗栱
Balcony to fou-kung
eliminated.

5米 0   10   20M.
平面畫尺 SCALE FOR PLAN

1米 0   5M.
斷面畫尺 SCALE FOR SECTION

斷面畵 CROSS SECTION

梁思成《文淵閣測繪圖》
文淵閣建於乾隆四十一年（1776），是北京故宮中最大的
皇家藏書樓。

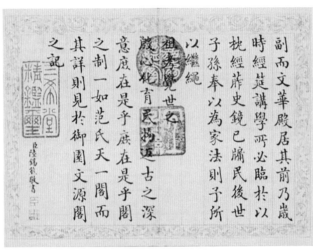

《四庫全書》總纂官陸錫熊在《御製文淵閣記冊》中明確指出「閣之制一如范氏天一閣」。

柳詒徵（前排居中者）等國學圖書館同人合影

江南藏書樓－1

| 江南藏書樓-2

1928 年的國立北平圖書館（前身為京師圖書館）

20 世紀 60 年代，香港新界大埔社會福利署流動圖書館

目錄

七、走向現代化

附錄

參考書目

後記

緒論：中國圖書館百年

　　中國的圖書館經歷了百年滄桑。

　　百年倏忽也好，百年漫漫也罷，是人們從不同視角看到的歷史映像。而今驀然回首，我們看到的中國現代圖書館百年歷程，是一條百轉千迴的曲折道路，既跌宕起伏，又峰迴路轉，別有一番綿延迤邐的風光。本書要做的，就如同蘇東坡的詩句「流年自可數期頤」（「期頤」即百年之謂），淡然、平靜、公正地回顧這段歷史。

　　中國古代文獻收藏的歷史源遠流長，然而現代圖書館的源頭卻在西方。

　　西方現代圖書館的誕生，始自新型公共圖書館，這也是現代圖書館有別於古代和中世紀的標誌。而公共圖書館的出現又是社會民主、公民權利、社會平等和信息公正等現代人文意識成熟的結果，是社會發展到一定階段的產物。19世紀中期的英國首先具備了這樣的社會條件。1852年英國曼徹斯特公共圖書館成立，它的問世被

認為是世界公共圖書館誕生的標誌。此後西方世界興起了長達一個世紀的「公共圖書館運動」。這個運動在美國的發展尤為迅猛，19 世紀末及 20 世紀初，「鋼鐵大王」卡內基在全世界捐資建立起 2500 多所圖書館，其中大部分是公共圖書館。1949 年，聯合國教科文組織通過了《公共圖書館宣言》，正式表達了世界文化知識界和圖書館界的基本立場，在全世界範圍內形成了對圖書館的普世共識。

西風東漸，澤被東土，但又帶來了血雨腥風，因為這一切都是伴隨着侵略戰爭、不平等條約和頻發的教案等一系列屈辱和國恥而來的。在中國最早出現的新型圖書館，大多與外國租界當局和外國傳教士相關聯。這些被泥沙俱下的歷史潮流挾裹而進入中國社會的外來新式圖書館，儘管不是出於中國人自願，卻成為中國現代圖書館最早和最直接的啟蒙範例。

這樣就有了中國的第一次「新圖書館運動」，肇始於 19 世紀末和 20 世紀初，其興起也與近代史上列強入侵和民族危亡息息相關。最為直接的成因就是中日甲午戰爭失敗和《馬關條約》簽訂給中國社會帶來的極大衝擊。正如康有為所說：非經甲午之役，割台償款，創巨痛深，未有肯幡然而改者。梁啟超也說：喚起支那四千

年之大夢，實自甲午一役也。在亡國滅種的威脅下，中華民族的有識之士終於掙脫開千年傳統的束縛，把目光投向了西方，開始走上學習西學、變法圖強的道路，而建立「新式藏書樓」則逐漸成為朝野共識。創建於1898年（戊戌年）的京師大學堂藏書樓就是戊戌變法的直接產物，也是此次百日維新失敗後的孑遺。

　　更大的民族災難「庚子之變」，讓國家付出了沉重的代價，也幾使清朝統治集團陷入滅頂之災。這種形勢直接催生了「清末新政」，興辦圖書館就是新政的重要內容。至宣統二年（1910）《京師圖書館及各省圖書館

1902 年京師大學堂教師在藏書樓前合影

通行章程》頒佈之時，京師及多數行省均已建立起大型
官辦圖書館，一些文教發達的地方還出現了諸多的官學
圖書館（學校圖書館）和平民圖書館。可以說，第一次
「新圖書館運動」肇始於戊戌維新，完成於清末新政，
奠定了現代中國圖書館事業的基礎，並形成了良好的
發展勢頭，一發而不可收。中國百年圖書館之史，自
此方興。

　　遺憾的是，中國圖書館的發展並未由此進入坦途，
而是有着太多的彎路和跌宕。

　　民國時期是中國圖書館發展和成熟的階段，也有斐
然的成就，卻不幸而逢多事之秋。頻仍的兵燹戰亂和政
治動盪給圖書館事業帶來了無法克服的障礙，尤其是日
本侵略者悍然發起侵華戰爭，生生扼斷了圖書館正常發
展之路。諸多圖書館學者和有識之士雖有真知灼見，卻
難免有「空留紙上聲」之憾。

　　中華人民共和國成立後，圖書館有了長足的進展，
提出了諸如「向科學進軍」「為工農兵服務」等裨益事
業發展的方針。但由於時代所限，亦難逃歷次政治運動
的強烈干擾。而且這種關起門來的發展方略日漸與國
際主流脫節，甚至漸行漸遠，國際上通行的理念、方
法、技術無法為國內圖書館界所知曉、所應用，還人

為地設立了種種禁區和壁壘。至「文革」禍起，文脈已斷，黃鐘棄毀，瓦釜雷鳴，圖書館亦墮入萬劫不復之境地。

「文革」結束後，圖書館事業進入復甦和繁榮的新時期，出現了欣欣向榮的局面。與此同時，卻又受到市場經濟大潮的無情衝擊，致使經營創收、「以文養文」等種種弊端一時成為風氣。於是「有償服務」盛行，各種收費和變相收費成了圖書館的重要經濟來源，還為讀者設立了形形色色不平等的門檻。這一時期，館舍設備條件的極大改善和辦館方針上的亂象叢生，形成了鮮明

20 世紀 30 年代的安徽省立圖書館中學生閱覽室

的對比。

中國圖書館歷史上的第二次「新圖書館運動」，或曰圖書館現代化的進軍之旅，就是在這樣的背景下起步的。沒有官方的授意，也沒有人蓄意發起，一切都是瓜熟蒂落，水到渠成。這是我們這一代圖書館人親身經歷和親手創造的歷史。

21 世紀初，先是學界鼓吹國際上普世的圖書館理念，倡導圖書館的基本精神和核心價值。與此同時，一些敢為天下先的城市圖書館大膽探索踐行，提出了「開放、平等、免費」等撥亂反正的辦館方針，銳意改革，勇除弊端，走出了一條新型的、符合國際發展趨勢的道路，亦即現代化圖書館之路。

這些先進的理念和做法最終演變成為國家的政策方針。近年來，中央和地方政府陸續出台了一系列政策文件，明確將圖書館定性為公益文化單位，將圖書館的基本服務公益化、普遍化、均等化。正是這場源於業界精英、起自基層、自下而上的運動，改變了中國圖書館的軌跡，使其走上了正確的發展道路。恰如有識之士指出的，通過業界的努力，將現代圖書館的精神、理念變為國家的政策方針，使全國圖書館朝着正確的方向發展，是 21 世紀中國圖書館事業的最大成就。

　　本書力圖展現中國圖書館的百年風貌，但它不是一部全面系統的中國現代圖書館歷史。考慮到本書的史話性質，針對的又是非圖書館專業的讀者，故闡述的重點是 19 世紀末期和 20 世紀初年中國現代圖書館的產生與發展，以及相關的社會、歷史和文化因素。這種「歷史」式的敍述大體截至 20 世紀上半葉，亦即中華人民共和國成立之前。作史要有距離感，許多事物要經過一段時光的磨礪才會清晰可見，時間會使我們具有歷史的眼光。然而 20 世紀下半葉尤其是 21 世紀以來的中國圖書館發展也不是無關緊要的，而是中國的圖書館之所以

現代圖書館

能夠有今日之面貌的不可或缺的重要歷程。本書採取的方針，是以「走向現代化」來總括其成，全景式地展現中國當代圖書館的總體面貌，重點闡述有關現代化圖書館的理念和價值觀，最後以深圳圖書館作為範例來加以佐證和說明。

其實圖書館既與社會歷史文化的發展緊密相連，也與每個讀書人息息相關，畢竟圖書館屬於社會大眾，屬於天下讀書人。但多年來圖書館學的相關研究卻多囿於專業的框框內，鮮有針對普通讀者的圖書館知識普及讀物。在本書中，作者力圖從普通讀書人的視角，追求生動鮮活的文風，有故事，有人物，有歷史風貌，儘量避免專業化的論述。讀者不妨將本書視為有關圖書館的故事集成。諸公在閱讀此書時，如果感覺就像是一位白髮圖書館員在娓娓講述圖書館的故事，就不枉作者之初衷與苦心了。

一、文明淵藪

1 中國古代文獻及其收藏

中國是文明古國，也是文獻大國。我們的祖先留下的博大精深、豐富多彩的文化遺產，大多是通過各種文獻流傳至今的。文獻就是文明的載體。

早在中華文明初始之時就出現了文獻，甚至在文字產生之前，就有了《河圖》《洛書》《連山》《歸藏》這樣的以圖畫符號為主的占卜之書。前人曾這樣歸納先秦的文獻：「書於竹帛，鏤於金石，琢於盤盂，傳遺後世子孫者知之。」（《墨子》卷八）此外還應再加上「刻於甲骨」。這樣我們就知道了在紙張和印刷術出現之前，我國早期文獻的六種形態是陶文、甲骨文、金文、玉石刻辭、簡策和帛書，其中最為多見的是簡策和帛書。這

是中華文明獨到的文獻載體，而西方古代文獻的三種主要形態是泥版文書（Clay Tablet）、紙莎草（Papyrus）和羊皮紙（Parchment）。

有了文獻，就有了相應文獻收藏制度。根據文獻記載和考古發現，商周時期就已經有了「史官」制度，專門從事典籍的編撰、管理與保存。這些史官乃是要職，史官所掌握的典籍也是國家的重器。史載，夏朝將要滅亡之時，太史令終古攜帶典籍「出奔如商」；殷商將要滅亡之時，內史向摯也帶着典籍「出亡之周」（《呂氏春秋‧先識覽》），可見文獻在當時的重要地位。關於古代文獻的重要性還有一個著名的故事。秦漢之際，劉邦軍隊率先攻入咸陽，將領們都去爭搶金銀財帛，唯獨蕭何搶先把秦王朝的律令圖書收藏起來。日後證實了蕭何的遠見卓識，「漢王所以具知天下厄塞，戶口多少，強弱之處，民所疾苦者，以（蕭）何具得秦圖書也」（《史記‧蕭相國世家》）。

大約從兩漢開始，我國古代的藏書制度就開始成熟，形成了官府藏書、私家藏書和書院藏書三大類型。

官府藏書是最早形成的藏書制度。西周之前基本上是「學在官府」的局面，亦稱「學術官守」，相應在文

獻上則是「官守其書」，文化、教育和典籍均為官府壟斷，王朝史官制度即是其表現。從兩漢直至明清，官府藏書興盛繁榮，成為我國古代藏書的主流。史載，漢武帝時期「建藏書之策，置寫書之官，下及諸子傳說，皆充祕府」（《漢書·藝文志》），從此而形成了一整套藏書收集、整理、編撰、校勘的制度，歷代王朝皆遵守為定制，一直沿襲了兩千多年。

私家藏書起源於春秋戰國時期。先師孔子以其畢生的教育活動，變「學術官守」為「學在民間」，打破了「官學合一」的局面。《莊子》載「惠施多方，其書五車」，《墨子》稱「今天下之士君子之書不可勝載」，都是當時私人藏書興起的事例。隋唐之後，隨着紙張和印刷術的發明和普及，私家收藏逐漸蔚為大觀，出現了許多著名的藏書家和藏書樓。私家藏書保存了大量文籍，培養了社會讀書之風，促進了民間學術發展，其歷史功績不可埋沒。

書院是中國特有的教育組織，兼有教育、研究、講學和出版多種功能，藏書是書院的重要物質保障。書院源起於唐代，宋代以後尤其發達，明清兩朝的書院都超過了千所。書院藏書除購買添置外，還有朝廷賞賜和官

員捐獻，另外還印製許多本院學者的著述和講義，別具
特色。書院藏書可在院內師生中公開借閱，發揮了很大
的教育功能。晚清時許多書院改為學堂，其藏書也成為
學校圖書館。

　　除了官府藏書、私家藏書和書院藏書這三大類型
外，中國古代文獻中還有寺院藏書。佛教有寺廟的佛
藏，道教有宮觀的道藏，後來還有了基督教和伊斯蘭教
的堂院藏書。這些藏書比較另類，管理上較為封閉，難
以與其他藏書融合，這裏就不贅述了。

清代嶽麓書院御書樓

2 藏書、藏書樓和圖書館

　　我國古代藏書的場所稱藏書樓，近代以來新型的文獻收藏機構稱圖書館，這一歷史變化的過程被稱為從藏書樓到圖書館的轉變。這是通常的說法，也是圖書館史研究的專業術語。

　　細究起來，將我國古代的文獻收藏稱為「藏書」更為恰當。如上文所述，藏書是個由來已久的古老的文化現象。《史記‧老子韓非列傳》稱：「（老子）周守藏室之史也。」司馬貞《史記索引》註：「藏室史，周藏書室之史也。」這就是藏書一詞的最早出處。老子所職掌的周王室藏書室，也是文獻記載中最古老的正式的藏書機構，老子就相當於周王朝國家圖書館的館長。

　　「藏書」一詞，實際上便是我國古代文獻收藏的總稱，也是前人的一貫說法。例如「建藏書之策，置寫書之官」（《漢書‧藝文志》），「藏書之盛，莫盛於開元」（《新唐書‧藝文志》）等諸多記載，便是例證。

　　至於「藏書樓」一詞，則是一種較為晚出的說法。藏書樓之稱究竟出現於何時，目前似乎還很難確切考定，但不會早於唐宋之際，並且發源於私家藏書。據

《新唐書‧李鄴傳》記載：「……（李鄴）家有書至萬卷，世號李氏書樓。」又據《郡齋讀書志》載：「（孫長孺）喜藏書，貯以樓，蜀人號書樓孫氏。」這兩處唐代的私人藏書，大概就是最早被稱作藏書樓的文獻收藏了。

　　明清之際，私人藏書進入了鼎盛時代，藏書樓之稱便開始風行一時。私人藏書家們往往要將自己的藏書之所標之以「××樓」「××閣」的雅稱，就是一些沒有多少文獻收藏的士大夫們，也常常為其書齋取個藏書樓的名號以附庸風雅。這種風氣甚至也影響到了官方的藏書，許多皇家和官府的藏書機構也開始仿效民間的藏書樓，冠之以各式藏書樓的名號。這樣一來，「藏書樓」就成了古代各類文獻收藏的統稱。就是近代問世的一些早期新型圖書館，往往也標之以藏書樓之名，如京師大學堂藏書樓、古越藏書樓、皖省藏書樓等。

　　與藏書樓源遠流長的歷史相反，「圖書館」在中國是個完完全全的外來名詞和近代文化現象。圖書館一詞，在西方語言中基本上有兩種說法，一個是Library，另一個是Bibliotheca。Library源自拉丁語的Liber，意為樹皮。因為樹皮曾用作書寫的材料，所以在意大利語中把書店叫Libraria，而法語中則把書店稱作Libraries。這個詞後來由法語進入英語，就成了

Library。而 Bibliotheca 一詞源自希臘語 Biblos，即書籍，由書寫材料「紙莎草」（Papyrus）的希臘語讀音而來。後來對於存書的場所，希臘語叫 Bibliothek，拉丁語則稱 Bibliotheca，在德語、法語、意大利語、西班牙語中均用這一詞稱圖書館，只是在拼法上有些小差別。對於 Library 或 Bibliotheca，中國人最初譯為「藏書樓」或「公共藏書樓」。

中文「圖書館」一詞的直接來源出自日文「図書館（ライブラソー）」，最初是由梁啟超引進中國來的。1896 年 9 月在梁啟超主編的《時務報》上，首次出現了「圖書館」一詞。但是這一新的提法似乎並沒有馬上為國人所接受，一些早期的近代圖書館仍以「藏書樓」稱之者居多，也有的稱「書藏」「書籍館」「圖書院」「藏書院」等。從 20 世紀初起，使用圖書館一詞的文獻和機構才開始多了起來。例如，1900 年 9 月的《清議報》上就有一篇名為《古圖書館》的文章；1901 年 6 月的《教育世界》也刊登了一篇《關於幼稚園盲啞學校圖書館規則》。

1903 年，清政府頒發了管學大臣張百熙主持制定的高等教育綱領《奏定大學堂章程》，其中提到：「大學堂當附屬圖書館一所，廣羅中外古今圖書，以資考

證」，並規定其主管人為「圖書館經理官」。這是圖書館一詞第一次被官方文件所正式採用。《奏定大學堂章程》頒佈後，原京師大學堂藏書樓便改名為京師大學堂圖書館，藏書樓的主管人也由「提調」改稱圖書館經理官。這是我國第一個採用圖書館名稱的正式官方藏書機構。直到 1904 年，湖北圖書館、湖南圖書館和福建圖書館相繼成立，圖書館的名稱才開始在社會上通行，其後各地出現的各種新型藏書處所多數都標之以圖書館之名。1909 年，京師圖書館（今國家圖書館）奉旨籌建，清政府又隨之頒發了《京師圖書館及各省圖書館通行章程》，這樣才使得圖書館的名稱在我國最後確立下來。

釐清藏書、藏書樓和圖書館的含義及其關聯與區別，是為了澄清這樣一個史實：中國古代的藏書、藏書樓與近現代圖書館是兩種不同屬性的事物；中國的圖書館是西方思想文化傳入的產物，亦即「西風東漸」的結果，不是「中華古已有之」的。

中國是世界上文獻保存數量最多、內容最為豐富連貫的文獻大國，藏書樓則是這些文獻的載體，是華夏文化的驕子，也是中華文明賴以存在和流傳的基本因素。與世界上任何一種古代和中世紀文明中的文獻收藏相比，我國古代的藏書均毫不遜色，並獨具異彩。但這些

因素並不能催生出新型的近現代圖書館。古代的藏書樓至多可以看作是中國圖書館的歷史淵源，但不是它的母體和前身。

新型圖書館的本質特徵是公益性、公共性，其表現就是面向社會普遍開放；而舊式藏書樓屬於私人所有，或是皇家、官府等少數人佔有，其主要特點必然是封閉的。

從歷史發展看，在古代藏書初興的殷周二朝，是「學在官府」或「學術官守」的文化壟斷，反映在藏書方面，則是「官守其書」的局面，貴族統治者之外的廣大民眾是與文化、圖書無緣的。春秋末年，孔子通過畢生的文化教育活動，實現了從「學在官府」向「學到民間」的轉變，使得眾多的平民有了擁有、閱讀圖書的可能，這是我國文獻收藏史上的第一次大變革。東漢以來，紙張發明並逐漸成為圖書文獻的主要載體，使圖書的傳抄和普及變得更為容易和廉價，於是社會上開始有了一些官府藏書之外的各種文獻收藏，這是我國文獻收藏史上的第二次大變革。唐宋之際，雕版印刷術發明並在全社會普及，促進了書籍的生產和流通，致使文獻的收藏和利用水平又大大提高了一步，各種類型的藏書樓驟然增多，這是我國文獻收藏史上的第三次大變革。但是，通過這三次變革，只是增加了社會上圖書和圖書收

藏的數量，卻基本上沒有改變藏書樓「門雖設而常關」
的封閉狀態。

　　明代著名藏書家祁承爜的澹生堂藏書樓便是一個典
型的例子。祁承爜對自己的子孫及其藏書樓的管理有着
明確的規定：

　　子孫能讀者，則以一人盡居之；不能讀者，則以
眾人遵守之。入架者不復出，盡蓄者必速補。子孫取讀
者，就堂檢閱，閱畢則入架，不得入私室。親友借觀
者，有副本則以應，無副本則以辭，正本不得出密園
外。……勿分析，勿覆瓿，勿歸商賈手。（祁承爜《澹
生堂藏書約》）

　　不難看出，祁氏對其藏書樓採取的是嚴格的封閉措
施，連子孫、親友都要受到限制，外人自然就更無緣問
津了。

　　而享譽明清兩代的藏書范氏天一閣，其措施更為嚴
厲苛刻：

　　司馬（天一閣創始人范欽）歿後，封閉甚嚴，繼
乃子孫各房相約為例，凡閣廚鎖鑰，分房掌之，禁以書
下閣樓，非各房子孫齊至，不開鎖。子孫無故開門入閣

者，罰不與祭三次；私領親友入閣及擅開廚者，罰不與
祭一年；擅將書借出者，罰不祭三年；因而典鬻者，永
擯逐不與祭。(阮元《寧波范氏天一閣書目序》)

　　藏書樓的圖書竟然連子孫都不准入內閱讀，已經和
守財奴埋着金銀餓肚皮無異，與文獻收藏的本來意義相
去何止十萬八千里。

　　澹生堂和天一閣只不過是兩個典型的例子，類似的
封閉措施在古代為數眾多的藏書樓中屬於常態，是極為
普遍的現象。當然，這種現象的出現和蔓延並不都是藏
書家自身的過失，藏書家們集聚、保存圖書典籍的苦心
孤詣和歷史功績也不可一筆抹殺。歸根結底，藏書樓是
小生產文化方式的產物，不可能形成面向整個社會的文

范氏天一閣

獻信息體制，也不可能承擔起服務公眾的社會化任務。
這是我們不能苛求於前人的。

　　古代的藏書家並非全都是守財奴式的角色，也有
卓爾不羣者。例如明末清初的藏書家曹溶，就曾尖銳批
評藏書家「以獨得為可矜，以公諸世為失策」的褊狹傳
統，以致古書「十不存四五」。他寫了一部《流通古書
約》，倡議藏書家之間互通有無，使「古籍不亡」，以
免因祕不示人遭湮滅。清代乾隆年間，還有一位學者兼
藏書家周永年，大膽提出了「儒藏說」，提倡「天下萬
世共讀之」；還建立了「藉書園」，專門為「窮鄉僻壤，
寒門窶士」等貧寒書生提供可讀之書，「使學者於以習
其業，傳鈔者於以流通其書，故以藉書名園」，實屬難
能可貴。然而這樣的藏書家在中國古代尚屬鳳毛麟角，
其視野和影響均有限，無法得到廣泛的社會認同，其舉
措也難以延續。他們只是舊事物的叛逆者，卻不能成為
新事物的創建人。

　　只有新型的現代公共圖書館才能完成向全社會平等
開放、提供文獻信息服務的使命。這是中國文獻收藏史上
第四次也是迄今為止最為重大的一次變革。變革的結果
便是舊式藏書樓壽命的終結，新型圖書館歷史的開端。

二、西風東漸

1 西方現代圖書館的產生

　　西方圖書館的歷史悠久，源遠流長。

　　早在公元前 4000 年左右，美索不達米亞平原就有
了大量的文獻收藏，當時的文獻形態主要是書寫在泥版
上的楔形文字，稱「泥版文書」。亞述王國時期規模宏
大的尼尼微圖書館已為考古發掘所證實。同樣歷史久遠
的還有古埃及的圖書館，其收藏除了泥版文書外，還有
紙莎草、皮革等作為文獻的載體。及至古希臘和古羅馬
時期，圖書館已經普及，亞里士多德的學園圖書館名噪
一時，著名的亞歷山大圖書館興盛了幾百年之久，甚至
在雅典、羅馬等大城市中還出現了對部分市民實行某種
程度開放的公共圖書館。

　　西方圖書館的歷史雖然長久，但西方古代及中世紀的圖書館與我們今天意義上的現代圖書館是有重大差異的，其中公共圖書館及其理念的出現是重大的分野和標誌。

　　儘管「公共圖書館」這一名稱在西方古代文明中早已出現，但真正意義上的公共圖書館只能出現於現代社會，是社會發展到一定階段的產物。此前，所有的圖書館，包括一些冠之以公共圖書館名義的圖書館，都有特定的服務對象，或是皇家成員、達官貴冑，或是神職人員、學院師生，或是有特定身份的市民，而非社會所有成員。新型公共圖書館的產生實際上是社會民主、公民權利、社會平等和信息公正等現代人文意識成熟的結果，也是歷史發展到一定階段才有的產物。

　　19世紀中葉的英國首先具備了這樣的社會條件。1852年，英國曼徹斯特公共圖書館成立。曼徹斯特公共圖書館是世界上首個現代意義上的公共圖書館，它的問世是公共圖書館誕生的標誌，也是西方現代圖書館的歷史起點。

　　當時英國有一位名叫愛德華茲的圖書館員，他被後世稱為現代公共圖書館的理論奠基人和先行者。愛德華茲出身貧苦，自學讀書成才，做過大英博物館和圖書館的編目員，以畢生之力，為倡導和實現公共圖書館的理

想而不懈奮鬥。在他的努力下，英國下議院於 1850 年通過了一個法案，授權地方議會為免費圖書館徵稅。這就是人們常說的世界第一部公共圖書館法，它標誌着公共圖書館制度的正式確立。曼徹斯特公共圖書館就是依照此法率先建立的，愛德華茲出任了首任館長。因此，可以說公共圖書館是在近現代公民社會建立的過程中應運而生的。

曼徹斯特公共圖書館的誕生，當時並不是轟動一時的事件，除了大文豪狄更斯參加了曼徹斯特公共圖書館開幕式還做了演講，並沒有多少引人注目的地方。但是愛德華茲和曼徹斯特公共圖書館為後世留下了有關公共圖書館的基本精神和制度，可以歸納為：依據政府立法建立，公費支持，免費服務，以及對社會成員無區別服務。這些理念堪稱經典，為其後各國公共圖書館的建立以及後來《公共圖書館宣言》的產生，奠定了基本的精神內核。

在曼徹斯特公共圖書館問世之後，亦即 19 世紀後期至 20 世紀初期，歐美各國公共圖書館迅速興起。這一時期，僅美國鋼鐵大王安德魯・卡內基就在美國、加拿大、英國捐辦了 2500 餘座公共圖書館，揭開了西方尤其是美國現代圖書館發展史上極為波瀾壯闊的一幕。

　　繼愛德華茲之後，諸多知名圖書館學家和圖書館專業工作者，如杜威、普勒、謝拉等，均對現代圖書館的理論和制度做過深入的闡述。美國圖書館協會發佈了《圖書館員倫理條例》（1929）和《圖書館權利宣言》（1939），使得現代圖書館的理念日漸深入人心，逐漸成為世界各國人民所普遍接受的普世通則。1948 年，聯合國大會通過並頒佈了著名的《世界人權宣言》，其中關於人人享有信息自由權利的主張，直接催生了《公共圖書館宣言》。

　　1949 年，聯合國教科文組織通過了《公共圖書館宣言》，正式表達了世界文化知識界和圖書館界對公共圖書館的基本立場。概括起來，它重點向世人闡明了三個觀念：①公共圖書館是現代民主政治的產物，也是民主制度的保障和民主信念的典範；②要立法保障公共圖書館事業發展，完全或主要由公費支持；③對社區所有成員實行平等的服務，全部免費開放。《公共圖書館宣言》在 1972 年和 1994 年又做了兩次修訂，內容雖然有所補充訂正，但其主要精神是一以貫之的。現在通行的為 1994 年版，其正式名稱為「國際圖聯 / 聯合國教科文組織：公共圖書館宣言（1994）」（*IFLA/UNESCO：Public Library Manifesto* [1994]）。

　　《公共圖書館宣言》的問世是世界圖書館發展史上的重大事件。它既是有關公共圖書館思想理論的集大成者，又是指導現代圖書館建設的利器，對世界各國公共圖書館的發展起到了重大的推動和指導作用。

2　傳教士與中國圖書館

　　在中國，率先跨越舊式藏書樓窠臼的新型圖書館，是西方傳教士所創辦的基督教圖書館。

　　這裏講述的是西方傳教士在中國境內所創辦或與之有較深關聯的各類圖書館。對於這些圖書館，我們統稱為基督教圖書館。需要說明的有兩點：這裏所說的基督教，除個別註明者外，均是廣義的，包括天主教、新教、東正教及景教等諸派系，並非國內某些習慣專指的新教而言；文中所涉及的圖書館，既包括西方傳教士們創辦的以宗教研究和傳播為目的的圖書館，也包括各種基督教會所資助、扶植或教會背景較深的社會圖書館、研究圖書館和學校圖書館。嚴格講來，後者不屬宗教圖書館的範疇，但由於它們均為西方傳教士們所直接或間接創辦，往往與前者沒有明確的分界，因此一併

進行介紹。

　　恰如上文所說，近代新型的圖書館不可能從古老的中華文明中土生土長而來，不可能從中國悠久的藏書樓傳統中自行孕育並產生，它只能是「西風東漸」的產物，只能從輸入西方式的模式開始。而西方傳教士這一特殊的團體則在這種特殊的傳播中起到了特殊的媒介作用。

　　據西方神學家的研究，基督教教義傳入中國的時間，甚至遠在基督教創立之初的公元 1 世紀，亦即中國的東漢年間就已經開始了。但這種基於傳說的推斷還稱不上是信史。十字架登上赤縣神州的可信時間是在唐朝，其確鑿的證據便是西安出土的立於唐建中二年（781）的「大秦景教流行中國碑」。這座著名石碑現存西安碑林。在碑文中，有景教教主「占青雲而載真經」，「遠將經象，來獻上京」的記

敦煌藏經洞所出唐朝景教宗
主教畫像復原圖

載。另外，在敦煌鳴沙山石窟中也發現有唐代景教經文抄本多部，據這些經文記載，景教經文有 530 部，僅「大秦景教流行中國碑」的作者景淨就譯出 30 部。可見，早在基督教傳入中國之初，便伴隨着頻繁的傳書、藏書活動。

　　景教屬聶斯脫利教派（Nestorianism），並非基督教之正宗，在我國中原地區流傳的時間也不算太長。基督教在中國具有歷史影響的傳教事業，實際上始自明代中葉著名天主教耶穌會傳教士利瑪竇，以及他的繼承者、明末清初的湯若望、南懷仁等人。這一時期的傳教士們也曾在中國文獻收藏史上留下了他們的足跡，其中最為重要的便是著名傳教士金尼閣所創立的「教廷圖書館」。金氏曾於明萬曆年間兩次來華傳教。當他於 1614 年返回歐洲時，曾遍遊德、法、比等國，向各方募集圖書，共得到西方書籍 7000 餘部。這些數量龐大、門類齊全的西方圖書進入中國，是中西文化交流史上的大事件，並由此創立了中國境內第一個頗具規模的基督教圖書館。因此，金尼閣在其名著《基督教遠被中國記》中曾稱：「在中國成立了名副其實的教廷圖書館。」——這裏需要說明的是，當時並無「圖書館」之稱（參見第二章第二節），「教廷圖書館」是後人翻譯時所用的，

下文中也有很多這樣的情況。

至明末清初之際，中國的基督教圖書館有了進一步的發展，在北京形成了著名的「四堂」圖書館，即南堂圖書館、東堂圖書館、北堂圖書館和西堂圖書館：

（1）南堂圖書館。南堂是葡萄牙耶穌會的教堂，建於明萬曆二十八年（1600），其創始人便是利瑪竇。利瑪竇以介紹西學為主要傳教方法，所以在南堂積累了大量的宗教和科學書籍。利氏死後，南堂得到教皇保羅五世贈送的大批圖書，內容有神學、哲學、法學、數學、物理及其他西方科學。清代南堂的索主教和湯主教都是圖書收藏家，曾為南堂的收藏增色不少。18世紀末，中國的耶穌會奉教皇之令解散，各地天主堂的藏書都集中於南堂收藏。道光十八年（1838）南堂的書籍移至北京俄羅斯修道院。

（2）東堂圖書館。東堂也是葡屬耶穌會教堂，係順治七年

湯若望畫像

（1650）皇帝所賜建。當時著述較多的傳教士，如湯若望、南懷仁等人，都居住於東堂，因此他們的著作和參考書也在其中，圖書的收藏十分豐富。後因戰亂，東堂被焚，燼餘殘存者只有數冊而已。

（3）北堂圖書館。北堂屬法國耶穌會，是康熙三十九年（1700）皇帝撥地撥款所建。北堂的藏書在當時數量最多，也最有價值，歐洲各研究院和皇家科學院都曾贈送北堂大量的學術著作，甚至法國的國王及政府要員也為北堂收集書籍。從嘉慶年間開始，北堂逐漸衰落，清政府旋以八千兩銀的代價出售北堂。當時幸有一位中國教士薛司鋒，將北堂的藏書及其他貴重物品轉移到城外，後又運往張家口外的西灣子。直至同治五年（1866），這批圖書才幾經周折運回北京，但大部已毀壞流失。

（4）西堂圖書館。西堂是耶穌會以外傳教士們的寓所，創建於雍正三年（1725）。西堂藏書的基礎是教廷專使來華時攜帶的一大批書籍，以及主教和方濟各會士們的遺書。嘉慶年間，清廷驅逐教士離境，西堂藏書遷至南堂。

後來的北平西什庫天主教堂（即北堂）圖書館便是匯合了南、東、北、西四堂的藏書而成的。據 1938 年

的整理統計，北堂圖書館計有西文書五千餘冊，中文書約八萬冊，其中有很多稀世珍本，如西方 15、16 世紀出版的圖書，教士與中國基督徒早期翻譯的西方名著，宋、明版刊本及抄本，清帝御賜本，方志，武英殿聚珍版圖書等。

　　在 1840 年鴉片戰爭之前，基督教在中國的傳播基本上是以平等、自願的方式，在尊重中國主權的前提下進行的，因此其性質主要是東西方意識形態在思想文化上的碰撞和交融，其結果無疑會起到促進中西方社會發展和科學文化進步的作用。事實正是如此。利瑪竇、湯若望等人以傳播西方科學知識為主要方式的傳教活動，曾不同程度地征服了像徐光啟、李之藻這樣的上層士大夫，甚至一些中國的帝王，使世代囿於傳統文化之下的中國人開闊了視野，學習到了一些為數雖少卻是極為可貴的西方科學知識。而獨具異彩的華夏文明也經由傳教士之手介紹到了歐洲，直接為 18 世紀席捲歐洲的啟蒙運動提供了精神養料，為歐洲近代文明的誕生起到了促進作用。

　　然而，這場由傳教士們觸發的中西文化的震盪，卻並沒有給中國圖書館的歷史帶來實質性的影響。傳教士們苦心經營多年的教廷圖書館、「四堂」圖書館等，除

了幾本當時絕大多數中國人都不知道也讀不懂的洋文書外，與中國傳統的藏書樓或寺院藏經並沒有什麼區別。其原因既在於當時西方的圖書館尚未達到足以超越中國藏書樓的先進水平，也因為當時的中國還沒有變革舊式藏書樓的社會要求。

　　但是在 1840 年之後，情況就發生了根本性的變化。在陣陣強勁西風的震撼下，中國古老的藏書樓閣搖搖欲墜，根基動搖。傳教士們用炮艦和福音書，在中國的土地上創建了一座座令中國的藏書家們瞠目結舌的、明顯居於先進水平的新式圖書館。從中國圖書館發展的角度看，基督教圖書館在中國的歷史是從鴉片戰爭之後才真正開始的。

　　鴉片戰爭之後基督教傳教士在中國的傳教事業得到了迅速的發展，但是這種發展都是西方列強武力征服和簽訂一系列不平等條約的結果，因此受到中國各階層人民的強烈抵制。如果說在利瑪竇的時代，士大夫們對基督教的種種非難還帶有傳統觀念中保守、褊狹成分的話，那麼在 19 世紀後期，中國士人與民眾與基督教傳教士之間的糾葛和爭鬥，就不再僅僅是思想文化方面的衝撞，而具有了反對外來侵略、維護國家主權和民族自尊的性質。頻繁發生的教案，以及隨之而來的內亂與外

患，給近代中國帶來了斑斑的創傷，這是歷史的事實。但是我們也應看到，傳教士們為了達到傳教的目的，往往要以西方的科學文化做媒介，而西方的近代科學文化與中國傳統的舊式文化之間是有着先進和落後之別的。因此，傳教士們在中國的一些活動，尤其是在文化教育方面的活動，在客觀上還是有所建樹和作為的，這也是歷史的事實。中國的基督教圖書館在很大程度上就具有後者的性質。

有人曾稱西方傳教士在中國扮演了「文化掮客」的角色，這是恰如其分的。總的看來，西方傳教士在近代中國的基督教傳教事業上是失敗的，不僅沒有達到「中華歸主」的目標，反而引發了一系列的激烈矛盾衝突；但他們作為文化掮客卻取得了相當的成功，在科學文化傳播上得到了遠遠大於宗教傳播的成就。這也許並不是傳教士們的初衷，但卻得到了「無心插柳柳成蔭」的結果。中國近代基督教圖書館的出現及其產生的社會影響，便是這種結果之一。

近代中國到底有多少基督教圖書館，我們無法得知，因為全國各種教會團體，如教會機構、教會學校、教會醫院，以及傳教士們所直接或間接參與的文化教育機構，都可能會有數量不等的藏書。但是，並不是所有

的這類藏書都稱得上是近代新型圖書館，稱得上近代新型圖書館的也不見得都有廣泛的社會影響。所以，這裏僅挑選了幾例有典型意義並在中國近代圖書館發展史上有過一定作用的基督教圖書館予以介紹。

（1）上海徐家匯天主堂藏書樓。建於 1847 年，由耶穌會傳教士創辦，隸屬於徐家匯天主堂耶穌會總院，是上海眾多的天主教圖書館中規模較大的一所。現該場所及藏書均歸入上海圖書館。

（2）上海工部局公眾圖書館。建於 1849 年，1851年起稱「上海圖書館」，自 1913 年起改名為「公眾圖書館」，又因其英文名稱 Public Library, S.M.C. 而譯作「工部局公共圖書館」。這座圖書館本是上海英租界的西方僑民籌辦的，但教會在其中起了較大的作用，圖書館的多任主管都是西方傳教士。

（3）亞洲文會北中國支會圖書館。建於 1871 年，創始人是英國牧師偉烈亞力。亞洲文會是偉烈亞力創辦的研究東半球文化的學術機關，曾得到英國政府的支持和資助。這所圖書館便是它的附屬機構，以收藏東方學文獻為主。

（4）聖約翰大學圖書館。建於 1894 年，原為學校藏書室，後用捐建者的姓氏命名為羅氏藏書室（Low

Library）。聖約翰大學是美國聖公會創辦的教會學校，羅氏藏書室即為該校附設的圖書館。至1919年前後，該館已具備相當的實力，成為我國境內規模最大的大學圖書館之一。

（5）格致書院藏書樓。建於1901年，由英國傳教士傅蘭雅（John Fryer）創辦。上海格致書院是傅蘭雅在1876年創辦的一所專門傳授西方科學知識的新式學堂，其藏書樓實際上是一所專為華人讀者開設的圖書館，以收藏中國古籍和中文譯著為主。該館後來燬於火災，殘本四千餘冊為上海市立圖書館接收。

聖約翰大學羅氏圖書館

（6）文華公書林。1903年創辦，1910年正式建成開放，創始人是韋棣華。武昌文華大學本是美國聖公會創辦的教會學校，文華公書林即為該校之圖書館，但文華公書林卻對武漢三鎮的公眾開放，因此兼有大學圖書館和公共圖書館的雙重性質。

在我國現代圖書館的發展史上，這些基督教圖書館佔有何種地位呢？

第一，基督教圖書館是我國近代出現年代最早的新型圖書館，起到了「為天下之先」的示範作用。從19世紀末年起，我國的洋務派、維新派人士才開始認識、鼓吹和籌辦新型的圖書館。至於較為成型的近代圖書館，如京師大學堂藏書樓、古越藏書樓的出現，已是20世紀初年的事了。而傳教士們創辦的圖書館從19世紀40年代起即已在我國出現，在時間上遙遙領先了半個多世紀。即使是創辦年代較遲的文華公書林，也是武昌出現的第一所公共圖書館，比湖北省圖書館的創辦（1904）還早了一年。近代圖書館在我國從無到有的突破，實際上是由基督教圖書館最初實現的。相當一部分中國人對圖書館的認識，也是從這些「洋書樓」開始的。在我國圖書館史上，基督教圖書館的啟蒙、範例作用，是不容忽視的。

　　第二，這些基督教圖書館大多具備了公益、開放的特點，與傳統的舊式藏書樓形成了鮮明的對照。如工部局公眾圖書館便以「公開的書林」和「供中外居民教育娛樂之需」為標榜，其公共閱覽室每天從早 9 時至晚 7 時對公眾開放，這在 19 世紀下半葉的中國還是一件從未有過的「西洋景」。再如格致書院藏書樓，曾號稱是「第一所為謀華人讀者便利的圖書館」，時人亦有「惠我士林」之譽。最為突出的是文華公書林，它雖是一所學校圖書館，卻堅持對武漢三鎮的公眾開放，還舉行公開演講會、讀書會、故事會、音樂會等活動，以吸引讀者上門讀書。在讀者服務的方式上，基督教圖書館也有諸多獨到之處，如聖約翰大學圖書館和文華公書林都實行開架借閱。文華公書林還實行了為較遠讀者送書上門的「巡迴文庫」制，格致書院藏書樓採用掛「粉牌」的方式向讀者宣傳圖書，等等。

　　需要指出的是，並不是所有的基督教圖書館都無條件地對公眾尤其是對中國民眾開放的。如徐家匯天主堂藏書樓，起初只供耶穌會會士使用，後來教徒或由教會人士介紹，經主管司鐸同意，也可進館閱覽，實際只是一種半開放狀態。即便是以「有益於普通的公眾」為口號的工部局公眾圖書館，藏書絕大多數卻是外文書刊，

這對於中國的「普通公眾」來說其實是談不上什麼「有益」的。然而不管基督教圖書館的大門全開、半開還是有條件地開，與「門雖設而常關」的舊式藏書樓相比，畢竟有着性質上的差別。

第三，許多基督教圖書館有着豐富、系統、別具一格的藏書，極大地豐富了我國近代圖書館的收藏，在當時及後世都發揮了重要的作用。徐家匯天主堂藏書樓收藏有大量的中國方志，其數量居全國第四位；同時因為建館時間較早，年代久遠的早期報刊收藏也很完備，如整套的《上海新報》《申報》《教會新報》等，為全國所罕見。亞洲文會北中國支會圖書館藏有豐富的東方學文獻，包括許多珍貴的早期書刊，曾被譽為「中國境內最好的東方學圖書館」。格致書院藏書樓的中文西學譯著是其一大特色。這些寶貴的文獻收藏，至今仍是我國圖書館無法替代的重要財富。

第四，有些基督教圖書館擁有先進的、明顯優於我國藏書樓的館舍和設備。1910 年建成的文華公書林館舍，號稱「十萬元建築」，名噪一時。1911 年建成的聖約翰大學圖書館，是上海第一座專用的圖書館館舍，採用中西參半的新式二層建築，建築費耗銀二萬兩，書庫容書可達三萬冊，並有良好的設備設施。這些基督教圖

書館的範例，對於我國圖書館館舍及設備條件的改善無疑會有推動作用。

　　第五，基督教圖書館帶來了西方圖書館的新式管理方法和先進技術。以收藏中文圖書為主的格致書院藏書樓，對舊籍用四部分類，而新書則劃分為科學、算學等36類，這是用新式科學分類法來類分中文圖書的首次嘗試。早在1909年孫毓修翻譯介紹「杜威分類法」之前，亞洲文會北中國支會圖書館就採用了「杜威分類法」及「克特著者號碼表」，為這部後來在中國影響甚廣的西方分類法的應用開創了先例。而聖約翰大學則是使用「杜威分類法」類分中文圖書的最早的圖書館，其方法是用「杜威分類法」中一些使用率不高的空號碼來容納中文圖書，如000為經部、181為中國哲學、951為中國史等。這種方法雖然不盡合理，但影響卻很大，在幾部中文分類法問世之前，國內許多圖書館都用這種辦法來類分中文圖書，以求中外文圖書能在編目中得到統一。首先使用卡片式目錄的也是基督教圖書館。亞洲文會北中國支會圖書館早在1908年就編成了一套字典式的卡片目錄，並附有「杜威分類法」的分類索引。聖約翰大學圖書館的卡片目錄最為完備，除書名、著者目錄外，還編有一套標題片，同時編製子目片和分析片。

這些都是新式圖書館的技術方法。基督教圖書館編製的新式書本式目錄也不少，較有影響的有《上海格致書院藏書樓書目（1906 年）》《聖約翰大學羅氏圖書館書目（1907 年）》等。可以說，在如何開辦西方式圖書館的問題上，基督教圖書館是主要和直接的教師。

第六，也是最為重要的，基督教圖書館輸入了西方式圖書館的思想和模式，使中國人擺脫了傳統藏書樓的窠臼，在社會上樹立了新式的圖書館觀念。早在 1877 年 3 月，《申報》就曾載文說：「本埠西人設有洋文書院（即工部局公眾圖書館），計藏書約有萬卷，每年又添購新書五六百部，閱者只需每年費銀十兩，可隨時取出披閱，閱畢繳換。此真至妙之法也！」可見這些洋式圖書館當時已引起中國士人的關注和羨慕。陳洙在 1906 年撰寫的《上海格致書院藏書樓書目序》中說：「上海向有格致書院，近由西士傅蘭雅君商諸各董，添設藏書樓。……吾知登斯樓者，既佩諸君之熱誠毅力以惠我士林，而尤不能不為內國士大夫愧且望也。」並疾呼：「裨益學術，光我文治，抗衡歐美，將在乎是！」奮起效法之情溢於言表。基督教圖書館促進了這種社會觀念的形成，而這種社會觀念之深入人心，又是我國近代圖書館產生和發展的基本社會條件。

　　清王朝滅亡後，基督教圖書館在中國的活動非但沒有中止，反而更加活躍，活動方式也發生了很大的變化。經過 1919 年的五四運動，中國的社會狀況發生了很大的變化，民眾的民族主義意識不斷高漲，知識階層中對西方列強控制中國教育文化事業的現狀極為不滿，開展了「收回教育權」等愛國運動。傳教士們迫於這種強大的壓力，為了能夠在中國社會繼續生存和傳教，便提出了「更有效率、更基督化、更中國化」的應變新口號。在這種形勢下，傳教士們興辦的各類圖書館也開始儘量減少「洋氣」，如任用中國學者為主管人，大量收藏中文書刊，對教外的讀者開放，加入中華圖書館協會等，以期能得到中國人民的認可。教會刊物《真光雜誌》就曾載文，建議開辦一個全國性的「中國基督教流通圖書館」，免費對社會開放，「歡迎各階層知識界利用圖書館來享受極自由的無限制的教育，或作種種的研究」，「使全國基督徒在同一圖書館之下，共同讀書與研究學問，成為精神食糧上的大團契；更使教外讀者與教會發生友誼的聯繫」。這個設想雖然最終設有實現，但卻反映了傳教士們在圖書館辦館方針上的重要變化，即摒棄急功近利式的傳教方法，通過為中國社會服務和與中國民眾建立友誼的方式，間接地達到團結教徒和傳

播教義的目的。因此，在五四運動後的現代時期，基督教圖書館的宗教色彩大為減弱，宗教宣傳的手法更為隱晦，與同時期中國人興辦的各類圖書館相比已沒有明顯的差異。這是中國基督教圖書館發展史上的一個重大轉折。

值得注意的是，基督教圖書館的「中國化」改革，並不意味着傳教士們放棄了傳教的目標。著名的燕京大學及其圖書館的創辦者司徒雷登就曾說過：「燕京大學的成立是作為傳教事業的一個組成部分的……我要燕京大學在氣氛和影響上徹底基督化，而同時又要甚至不使人看出它是傳教運動的一部分。」基督教圖書館改革的實質也在於此。但是由於這種變革，基督教圖書館不再是游離於中國文化教育事業之外的獨立王國，而在很大程度上融為中國圖書館事業的一部分；更多的中國知識分子及普通民眾能夠利用這些圖書館，使其發揮出更大的社會作用。因此，從中國圖書館事業發展的角度看，基督教圖書館的這種變革還是有許多積極意義的。

根據 1937 年的統計，中國基督教（新教）的圖書館共有 114 所，其中教會機關 17 所、神學院 7 所、大專院校 19 所、中學 71 所，藏書共約 200 萬冊。天主教的圖書館未見專門統計，但在數量上不會低於新教圖書

司徒雷登等在燕京大學大門內留影

館。其他教派組織，如東正教傳教士團，也有一定數量
的圖書機構。

　　與近代時期相比，現代時期的基督教圖書館雖數
量增多，且更有實績，更少宗教色彩，但在中國圖書館
發展史上的影響、作用卻遠不如前一階段重要。究其
原因，主要在於當時中國圖書館向近現代過渡的進程業
已完成，國內圖書館與西方圖書館之間在性質上已沒有
大的差異，不再需要基督教圖書館提供啟蒙和範例。從
1935 年的統計看，國內各類型圖書館已達 5183 所，而
且出現了諸如國立北平圖書館、國立中央圖書館、北京

大學圖書館等高水平的大型圖書館，致使傳教士們興辦
的圖書館在數量和質量上都相形見絀了。

中華人民共和國成立後，傳教士和外國教會團體在
中國大陸失去了繼續存在的基礎。1949 年 8 月，司徒雷
登悄然離開了已經解放的南京，標誌着近代西方傳教士
在中國經營一百多年的傳教事業基本結束。

傳教士們和他們所創辦和扶植的圖書館，這一近代
中國的特殊產物，也由此結束了它們曲折而又複雜的使
命，其藏書大多歸併到其他圖書館收藏。但是，它們的
歷史軌跡卻不會消失，如同外國教會和傳教士是中國
近現代歷史的一部分一樣，基督教圖書館也是中國圖
書館歷史的一部分，已經融會在中國圖書館的歷史發展
之中。

三、悚然驚夢

1 新型圖書館的啟蒙

　　中國新型圖書館的源頭在西方，在中國興辦這些圖書館的先行者也是來自西方的傳教士。但是，創建中國現代圖書館的主角是中國人自己，是中國人民自身奮鬥和中國社會發展的結果。

　　自 1840 年鴉片戰爭後，西學開始傳入中國。但是在其後的半個世紀中，這種傳入是極其緩慢的。就地域而言，主要侷限在幾個通商口岸，從致力於此的中國人來看，也只有少數從事「洋務」的官員。中國的上層統治者和士大夫階層仍然背負着幾千年的巨大惰性，生活在傳統的精神世界裏。即使是那些熱衷於洋務的官員，也主要着眼於兵器製造、築路開礦等具體技術知識，而

絕少注意到西方政治、思想、文化方面的作用和影響。最能說明問題的例證是《書目答問》一書。這部流行一時的書目著作出自以提倡新政著稱的洋務派大員張之洞之手，刊行於國門開啟後數十年的光緒二年（1876），但這部洋洋大觀的書目卻仍囿於傳統的四部圖籍，而絕少提到西學文獻。這種大勢，決定了中國早期具有新型圖書館性質的為數極少的藏書樓都出現在京城和通商口岸城市，而且大多是在西方人（主要是傳教士）的直接或間接參與下建成的。至於明確、系統的圖書館思想，則遲遲未能在士大夫階層中形成。

19 世紀 90 年代是一個重要的轉折點。這一時期西方列強對中國的侵略和擴張進入了一個新的階段，中華民族面臨着前所未有的被瓜分的危機。1895 年中日甲午戰爭的失敗，使中國的民眾，尤其是沉酣於幾千年舊傳統的士大夫們，悚然驚醒。正如康有為所說：「非經甲午之役，割台償款，創巨痛深，未有肯幡然而改者。」梁啟超也說：「喚起支那四千年之大夢，實自甲午一役也。……支那則一經庚申圓明園之變，再經甲申馬江之變，而十八行省之民，就不知痛癢，未曾稍改其頑固囂張之習。直待台灣既割，二百兆之償款既輸，而鼾睡之聲，乃漸驚起。」（《戊戌政變記》）甲午的風雲未散，

法國即聲稱華南和西南為其「勢力範圍」，德國佔了膠
州灣，俄國佔了旅順口，英國則繼續強行維護在長江流
域的利益，西方諸列強還掀起了「爭奪租借地」的狂
潮。在這種亡國滅種的衝擊和恐懼之下，中華民族的有
識之士終於開始掙脫了千年傳統的束縛，把目光投向了
西方，開始走上了學習西學、變法圖強的道路。

　　由此中國的士大夫們對西方的看法產生了根本性的
變化，逐漸認識到西方列國不是什麼「蠻夷之邦」，而
是代表了一種強大的文明；所謂西學也不僅僅是「聲光
電化」等「奇技淫巧」，而是包括政治體制、價值觀念
和文化教育等諸多內容在內的完整體系。這種認識，逐
漸從沿海到內地，從少數洋務官員到整個士大夫階層及
上層統治者，匯聚成一種強大的思想輿論，形成了中國
近代史上西學傳播的第一次高潮。

　　在這個高潮中產生了一批向西方尋求救國救民之
道的有識之士。他們雖然分屬於洋務派、維新派等不同
陣營，政見也不盡一致，但在學習西方的過程中卻產生
了一種共識，即都把興辦教育、建立學堂、開發民智作
為社會改良的首要內容，而興辦新式教育的主要內容之
一又是建立西方式的圖書館。這種思想的出現並在輿論
中逐漸佔據主導，是中國人在效法西方的過程中一個重

大的轉折和突破，新型圖書館的思想輿論即由此開始形成，奠定了中國興辦圖書館的思想基礎，而後的中國圖書館基本上是按照此時形成的原則和思路發展的。

較早注意到西方式圖書館的是中國近代思想界的先驅林則徐、陳逢衡、姚瑩、徐繼畬等人，他們在 19 世紀 40 年代撰寫的著作，如《四洲志》《英吉利紀略》《康紀行》《瀛環志略》等書中，都提到了英美等國的圖書館。19 世紀後期的改良主義政論家王韜、學者馬建忠則進一步提出了興建新式圖書館的具體主張。第一位系統地提出新式圖書館思想的是近代改良主義先驅鄭觀應，他刊行於光緒十八年（1892）的著名著作《盛世危言》，其中第四卷《藏書》系統地論述了興辦圖書館思想，基本上包括了近代新型圖書館的主要精髓。

這些有關新式圖書館的思想問世後，在社會輿論界引起了強烈的反響，談論介紹西方圖書館，倡議建立公共藏書樓，一時蔚成風氣。當時輿論界的主要喉舌《時務報》《知新報》《國聞報》《湘學報》《萬國公報》《清議報》等都連篇累牘地刊載有關新式圖書館的文章，就連西歐、日本等國圖書館的讀者人數，美國圖書館教育的方式等具體的細節問題，都成為這些報刊所津津樂道的話題。這樣就使得新式圖書館的觀念日漸深入人心，

佔據了主導的地位，形成了一股強大的思潮。

　　與政治體制上的改良相比，興辦圖書館的主張比較容易為國人所接受，不僅提倡新學者樂於此道，固守舊學者也願意擁護。在維新派看來，新式圖書館固然是開發民智、傳播西學的工具，在傳統士大夫們的眼中，藏書樓也是弘揚儒學、研讀經史的地方，何況又有乾隆年間開放四庫的「故事」可循。因此，儘管興辦新式圖書館的觀念是維新人士提出的，但它迅速征服了中國抱有各種觀念的士大夫們，成為社會發展的潮流。

　　這一思想潮流很快就影響到統治階級的上層。1896年，吏部尚書兼官書局督辦孫家鼐撰文引述了當時通行的觀點，指出：「泰西教育人材之道，計有三事：曰學校，曰新聞館，曰書籍館」，還提出要在其主持的官書局中設立藏書院，允許「留心時事，講求學問者入院借覽，恢廣學識」（《官書局開設緣由》）。同年，刑部左侍郎李端棻撰寫了著名的《請推廣學校摺》，奏請建立學堂，提出了「與學校之益相須成者」有五條，其中第一條就是「設藏書樓」。李氏認為應仿效「泰西諸國」和「乾隆故事」，「自京師及十八行省會咸設大書樓」，而且要「妥定章程，許人入樓觀書，由地方公擇好學解事之人，經理其事。如此則向之無書可讀者，得以自勉

於學，無為棄才矣！」湖廣總督張之洞在《上海強學會序》中提出了「擬宏區宇，廣集圖書」的主張。這篇序文雖由康有為代擬，但畢竟是經張之洞本人所認可的。就連光緒皇帝在 1898 年籌辦京師大學堂時也發出過撥款「購圖書」的上諭。

這些上層統治者的言論和觀念，表明了他們對興辦圖書館的認同，也是新型圖書館思想終於在中國形成並逐漸佔據主流地位的一個重要標誌。

2 梁啟超與中國圖書館

在這場決定中國圖書館命運的思潮中，梁啟超是最為傑出的一位代表。通過梁啟超這個典型人物，我們可以提綱挈領地看到我國近代圖書館形成的軌跡和其中的思想精髓。

梁啟超，字卓如，號任公，又號飲冰室主人，同治十二年（1873）生於廣東新會，是我國近代著名的思想界先驅和維新派主將，也是近代圖書館的主要倡導者和推行者。在 19 世紀 90 年代新式圖書館觀念的形成過程中，梁啟超以他淵博的學識，敏銳的眼光，過人的才

華，生花的妙筆，成為當時影響最大、鼓吹力最強、思想最深刻、成就最卓著的圖書館理論家和活動家，做出了遠遠超出他人的重要貢獻。

梁啟超出身於一個半耕半讀的知識分子家庭，如他自己所述：「啟超故貧，瀕海鄉居，世代耕且讀，數畝薄田，舉家躬耘，穫以為恆」（《梁啟超年譜長編》）。他自幼酷愛讀書，11 歲中秀才，16 歲中舉人，雖有「神童」之稱，但也飽嚐了無力購書的苦楚。他後來追憶幼年讀書情景時感歎地說：

> 啟超故陬澨之鄙人也。年十三，始有志於學，欲購一潮州刻本之《漢書》而力不逮，乃展轉請託，假諸邑之薄有藏者，始得一睹。成童以還，欲讀西學各書，以中國譯出者不過區區二百餘種，而數年之力，卒不能盡購。……夫啟超既已如是，天下寒士與啟超同病者，何可勝道！（《萬木草堂書藏徵捐圖書啟》）

童年讀書的艱辛播下了梁啟超從事公共藏書事業的種子。光緒十七年（1891），梁啟超師從康有為，讀書於廣州的萬木草堂，開始了他世界觀和學術思想的奠基時期。在萬木草堂，梁啟超創辦了一生中的第一所「圖書館」──萬木草堂書樓：

往者（即在萬木草堂讀書時期）既與二三同志，各出其所有之書，合庋一地，得七千餘卷，使喜事小吏典焉，名曰萬木草堂書藏，以省分購之力，且以餉戚好中之貧而好學者而已。數年以來，同志借讀漸夥，集書亦漸增，稍稍及萬卷。（《萬木草堂書藏徵捐圖書啟》）

梁啟超對這個小小「圖書館」的感情很深，後來當他成為著名的維新派領袖時，還念念不忘扶植萬木草堂書樓，親筆為其起草徵捐圖書的文章。當然，萬木草堂書樓仍沒有超越舊式書院藏書的範疇，這時的梁啟超對西方式的近代圖書館還沒有什麼系統的認識。

1898 年，梁啟超與康有為一起來到北京，走上了變法維新的政治舞台。面對令人眼花繚亂的西學知識和內外交困的政治局勢，年輕好學的梁啟超認識到：「今時局變異，外侮交迫，非讀萬國之書，則不能通一國之書。」然而在當時的中國要想「讀萬國之書」又談何容易：「欲以一人之力，備天下之書，雖陳、晁、毛、范，固所不能，況乃巖穴蓬蓽好學之士，都養以從師、賃廡以自給者，其孰從而窺之。」在這種形勢下，已經系統研讀西學的梁啟超把目光從個人集書轉向了西方式的圖書館：「彼西國之為學也，自男女及歲，即入學校，

康有為與梁啟超

其教科必讀之書，校中固已咸備矣，其淹雅繁博孤本重值之書，學人不能家庋一編者，則為藏書樓以庋之，而恣國之人借覽焉。」（均見《萬木草堂書藏徵捐圖書啟》）

從西方圖書館之中，梁啟超看到了他多年夢寐以求的理想目標，也找到了為學、為政的新道路。自此，在中國建立西方式的新型圖書館，就成為梁啟超變法維新活動的重要組成部分，也成為他畢生為之奮鬥不息的事業。

梁啟超倡辦新型圖書館的第一步是與康有為等維新派人士共同創立的強學會書藏（詳見第五章）。當時創立強學會的宗旨，乃如康有為所說：「聚中外之圖書器藝，聚南北之通人志士。」（《上海強學會後序》）為辦好強學會及其書藏，梁啟超投入了極大的熱情，把其視為宣揚新學、啟迪民智的開端。他後來追憶說：「時在乙未之歲，鄙人與諸先輩，感國事之危殆，非興學不

足以救亡，乃共謀設立學校，以輸入歐美之學術於國中。……而組織一強學會，備置圖書儀器，邀人來觀，冀輸入世界之智識於我國民」（梁啟超《蒞北京大學校歡迎會演說辭》）。

然而梁啟超等人的理想很快就破滅了，強學會存在僅四個月即被清廷查封。後來美國傳教士李佳白籌辦備有藏書樓的尚賢堂（英文為中國國際研究院，International Institute of China），梁啟超力促其成，並在《記尚賢堂》一文中不無悲憤地寫道：

中國應舉之事千萬也。中國不自舉，於是西人之旅中國者，仿之憫之，越俎代之。……李君乃為此堂集金二十萬，次第舉藏書樓、博物院等事，與京師官書局、大學堂相應。其愛我華人，亦至矣。詩曰「無此疆爾界」，李君之賢也；又曰「不自為政」，抑亦中國之羞也。

強學會及其書藏被查封後，梁啟超興辦圖書館的熱情轉入了研究、鼓吹、倡導西方式的圖書館上，成為中國新型圖書館思想的傑出代表和集大成者。19 世紀 90 年代興建圖書館思潮的形成和 20 世紀初年各地圖書館的普遍興起，梁啟超有着不可磨滅的功績。

梁啟超於 1896 年 8 月開始任《時務報》總撰述，在

他的主持下，《時務報》不僅成為在全國有巨大影響的維新派喉舌，也成為鼓吹西式圖書館最為得力的一家報刊。在《時務報》創刊號上，曾旗幟鮮明地提出：「泰西教育人才之道，計有三事：曰學校，曰新聞館，曰書籍館。」《時務報》各期多次刊載論述圖書館的文章，介紹西方各國的圖書館，報導國內各地籌辦藏書樓的消息。在《時務報》的影響下，各種鼓吹維新變法的刊物，如《知新報》《國聞報》《湘學報》等都連篇累牘地宣揚和報道新型圖書館，一時風氣大開，形成了強大的輿論。

　　與其他維新派人士一樣，梁啟超也把興辦新式圖書館看作學習西方、救亡圖存、成就維新大業的重要組成部分。1896 年 12 月《時務報》第 13 期曾刊文指出：「今日振興之策，首在育人才，育人才則必新學術，新學術則必改科舉、設立學堂、定學會、建藏書樓。……斯三者，皆興國之盛舉也。」梁啟超也撰寫了《論學會》一文，提出了「今欲振中國，在廣人才，欲廣人才，在興學會」的觀點，而建立學會的目的有 16 個，其中有五個都與新型圖書館有關：「……七曰咨取官書局羣籍，概提全份，以備儲藏；八曰盡購已翻新書，收庋會中，以便借讀；九曰擇購西文各書，分門別類，以資翻譯……十曰廣翻地球各報，散佈行省，以新耳

目;十一曰精搜中外地圖,懸張會堂,以備瀏覽。」
正是由於梁啟超的重要影響和不懈努力,使救國必先
治學、治學必先建藏書樓的思想日漸深入人心,成為一
種社會共識。

梁啟超是一位才華橫溢的學者,其文筆當時享有盛
名,在思想輿論界有極大的號召力。梁啟超也同樣用他
那支生動鮮明、氣魄宏大的筆來宣揚、鼓吹圖書館。例
如,在描述英國等西方國家的圖書館時,他寫道:「舉
國書樓以千數百計,凡有井水飲處,靡不有學人;有
學人處,靡不有藏書,此所以舉國皆學,而富強甲天下
也。」(《萬木草堂書藏徵捐圖書啟》)這種文采飛揚
的「梁啟超風格」使他的文章備受讀者喜愛,也使他所
宣揚的圖書館思想很快為社會所接受。在中國圖書館史
上,梁啟超是一位卓越的宣傳家。

對於西方傳入的圖書館思想、觀念和方法,梁啟超
不僅僅停留於介紹、宣傳和鼓吹,而且還做了系統的研
究,並有大膽的創新。這也是梁啟超與同時代人相比的
過人之處。1896 年 9 月,梁啟超在《時務報》上發表了
著名的《西學書目表》。該書吸收了西方分類、著錄的
思想,將當時中國所譯的西書分為西學、西政和宗教三
大類及雜類(宗教類未錄入書目)。西學類包括算學、

重學、電學、聲學、光學、化學、汽學、天學、地學、全體學、動植物學、醫學、圖學等十三目，西政類包括史志、官制、學制、法律、農政、礦政、工政、商政、兵政、船政等十目，雜類包括遊記、報章、格致、西人議論之書、無可歸類之書等五目。《西學書目表》儘管還有許多不盡合理之處，但它的問世，是對一千多年來被視為「永制」的四部分類體制的一次衝擊和突破，為近代新分類法的輸入和產生開闢了道路，堪稱是中國新文獻分類思想的啟蒙著作。

　　梁啟超宣傳研究新圖書館的一系列活動，對中國圖書館思想的形成產生了重要的影響。例如，「圖書館」一詞就首次出現在他主持的《時務報》1896 年 9 月第六冊上，其文名為《古巴島述略》，譯自 1896 年 8 月 26 日的《日本新報》。又如，統治階級上層人物對圖書館的認識許多都源自梁啟超，上文中引述的吏部尚書孫家鼐論圖書館功用的文字，實際上是抄自《時務報》；禮部尚書李端棻是梁啟超的妻舅，那篇著名的《請推廣學校摺》據說即出自梁啟超的手筆，至少也是在梁的直接影響下寫成的。

　　1898 年 6 月，光緒皇帝發佈「明定國是詔」，開始了百日維新。梁啟超躊躇滿志，認定維新派大顯宏圖的

時機已經到來，並以非凡的熱情和才幹投入了變法維新活動。在繁忙的政務活動中，梁啟超仍沒有放棄興辦新式教育和圖書館的理想。在他代總理衙門起草的《京師大學堂章程》中，專列了「藏書樓」一項。梁啟超揚揚灑灑地寫道：

> 學者應讀之書甚多，一人之力必不能盡購。乾隆間，高宗純皇帝於江浙等省設三閣，盡藏四庫所有之書，俾士子借讀，嘉惠士林，法意良美。泰西各國於都城省會皆設有藏書樓，亦是此意。近張之洞任廣東，設廣雅書院，陳寶箴任湖南，設時務學堂，亦皆有藏書。京師大學堂為各省表卒，體制尤當崇閎。今設一大藏書樓，廣集中西要籍，以供士林流覽，而廣天下風氣。

不難看出，在京師大學堂及其藏書樓身上寄託了梁啟超興辦教育、創建圖書館的理想和希望。然而，這次梁啟超的夢想又落空了。變法維新活動不到百日便發生了戊戌政變，光緒皇帝被囚，梁啟超也成了被緝捕的「康梁亂黨」主犯，逃往日本避難。他苦心倡辦的京師大學堂雖然僥倖免遭廢黜，但興建藏書樓的宏大計劃卻被迫中止，已收藏的一些圖書儀器也在庚子事變中大部燬於兵燹。

梁啟超出逃到日本後，與康有為一起在橫濱創辦了《清議報》，由梁啟超任主筆，繼續宣揚改良主義的主張。在主持《清議報》時期，梁啟超仍繼續宣傳他的圖書館思想和主張，其論述也更為深入和系統。在《清議報》刊載的一篇文章中，稱圖書館為「開進文化一大機關」，文章寫道：「何謂學校之外開進文化一大機關乎？曰，無他，唯廣設圖書館可耳。」文中列舉了圖書館的八項社會功能：「第一之利，圖書館使現在學校受教育之青年學子，得補其知識之利也；第二之利，圖書館使凡青年志士，有不受學校教育者，得知識之利也；第三之利，圖書館儲藏宏富，學者欲查故事，得備參考之利也；第四之利，圖書館有使閱覽者，隨意研究事物之利也；第五之利，圖書館有使閱覽者，於頃刻間，得查數事物之利也；第六之利，圖書館凡使人皆得用貴重圖書之利也；第七之利，圖書館有使閱覽圖書者，得速知地球各國近況之利也；第八之利，圖書館有不知不覺使養成人才之利也。」這些思想表明梁啟超已超越了一般維新派人物對圖書館的認識水平，達到了一個新的高度。

梁啟超是新式圖書館思想的主要旗手和奠基人。他的思想、言論和行動，對中國圖書館思想的形成並為社會所普遍接受，起到了至關重要的作用。雖然梁

啟超興辦圖書館的實績並不多，但他的主張卻能深入人心，有着潛移默化的影響。20世紀初年我國所興起的創辦圖書館的高潮，基本上是按照梁啟超等人的思想和主張行事的。

此外還值得一提的是，在新型圖書館形成並普及之後，梁啟超對圖書館的興趣依然不衰，畢生都在為中國的圖書館奔波操勞。1916年，為紀念蔡鍔將軍，梁啟超發起創辦「松坡圖書館」，並被推為館長。1925年4月，中華圖書館學會成立，梁啟超出任董事部部長兼分類委員會主席，參與了中國圖書館界的許多重大活動。1925年10月，梁啟超被任命為京師圖書館館長，為興辦和維持這所國家圖書館付出了很大的心血。梁啟超還用了很大的精力從事圖書館學的研究，寫下了《中華圖書館協會成立演說辭》《圖書館季刊發刊辭》《中國圖書大辭典（部分）》《佛教典籍譜錄考》《佛家經錄在中國目錄學之位置》《古書真偽及其年代》等大量著述，為推動中國圖書館學的發展做出了很大的貢獻。

1929年梁啟超逝世後，家人遵其遺願，將其全部藏書捐送給當時的國立北平圖書館，包括「飲冰室藏書」2800多種四萬多冊，新書100多種140多冊，還有許多墨跡、未刊稿本、私人信札等，均為寶貴文獻。

四、衝破藏書樓

1 京師同文館

　　所謂近現代新型圖書館，其主體主要有兩種類型：大學圖書館和公共圖書館，至今如此，中外皆然。在中國，最早和最具代表性的大學圖書館和公共圖書館的雛形，分別是同文館書閣和強學會書藏。

　　同文館也稱京師同文館，首建於同治元年（1862）。它是清末培養涉外翻譯人員的學校，隸屬於「總理各國事務衙門」，是中國官方自行創辦的第一個新式教育機構。

　　同文館在建立之初就伴隨着圖書的收集。當時的總理大臣、洋務派首領恭親王奕訢在1860年的《奏請創設京師同文館疏》中，就有「飭廣東、上海各督撫等，

分派通解外國語言文字之人，攜帶各國書籍來京」之語。這些由各地教師所帶來的「各國書籍」就是同文館最初的藏書。

在其後的幾十年中，史料中不斷有關於同文館藏書，尤其是外文藏書建設的記錄。如，同治七年（1868）美國大使勞文羅曾送來書籍若干，同文館也購書回贈；同治十一年（1872）法國大使熱福里代表法國文學苑贈送同文館圖書 11 箱，共計 188 冊，「以備同文館肄業泰西文字之用」，同文館也回贈了《康熙字典》《昭明文選》等中國書籍 110 部，以「彼此互讀，亦彼此相認」。經過多年的積累，同文館的藏書日漸豐富起來。

至遲在光緒十三年（1887），同文館就已有了專用的藏書機構──「書閣」。在該年刊印的《同文館題名錄》中，對書閣有過具體生動的記載：

> 同文館書閣存儲洋漢書籍，用資查考。並有學生應用各種功課之書，以備分給各館用資查考之用。漢文經籍等書三百本，洋文一千七百本，各種功課之書、漢文算學等書一千本。除課讀之書隨時分給各館外，其餘任聽教習、學生等借閱，註冊存記，以免遺失。

　　由是不難看出：同文館書閣的藏書數量雖不算多，但絕大多數是洋文書和「功課」「算學」等新書，已擺脫了舊式「官學藏書」以儒家經典、正史為主的窠臼；採取了西方式圖書館的某些管理方式，如借閱、註冊、存記等；藏書也不再以收藏為主要目的，而是「用資查考」，供全校讀者借閱使用。因此，同文館書閣實際上已具備了新型學校圖書館的性質。

　　同文館書閣可以說是我國最早的大學圖書館的雛形。由於同文館創設於京師，又是中央政府的官辦學校，因此它的辦學方式在全國有較大的影響。此後，各地相繼創辦的新式學堂、學校，大多建立了類似同文館書閣的新型藏書樓，其中很多藏書樓日後都發展成為著名的大學圖書館。光緒二十一年（1895）天津北洋西學學堂建立藏書室，後來發展成北洋大學圖書館，中華人民共和國成立後改稱天津大學圖書館；光緒二十二年（1896）上海南洋公學創辦圖書院，1921年後改稱上海交通大學圖書館。至於同文館書閣本身，由於同文館於光緒二十八年（1902）併入京師大學堂，同文館書閣也於同年歸併於京師大學堂藏書樓，1912年後改稱北京大學圖書館。

2 強學會書藏

　　強學會創立於光緒二十一年，當時是變法維新運動的總機關，其發起人是維新派的領袖人物康有為、梁啟超、麥孟華、楊銳等人。時值甲午戰敗後不久，康、梁等人為變法圖強上下奔走，廣造輿論。他們建立強學會的目的就是「羣中外之圖書器藝，羣南北之通人志士，講習其間，因而推行於直省焉」（康有為《上海強學會後序》）。因此強學會建立了新型的圖書機構 —— 強學會書藏。

　　梁啟超在後來追憶創辦強學會及其書藏時說：

　　當甲午喪師之後，國人敵愾心頗盛，而全瞢於世界大勢，乙未夏諸先輩乃發起一政社，名強學會。彼時同人因不知各國有所謂政黨，但知改良國政不可無此種團體耳。而最初着手之事業，則欲辦圖書館與報館。（《梁任公先生年譜長編》）

　　康有為也曾詳細記述了強學會籌辦書藏的經過：光緒二十一年七月，維新派人士集會，議開書藏，「各出義捐，一舉而得數千金」，隨後翰文齋也「願送羣書」，

於是便在北京琉璃廠創建了強學會書藏。書藏成立後，英國和美國公使捐助了「西書及圖器」，劉坤一、張之洞、王文韶等大員各捐了五千兩銀，宋慶、聶士成也捐銀數千兩，使書藏的「規模日廓」，成為京師頗具影響的新型圖書機構。

強學會書藏一建立，使仿照西方圖書館的做法，採取了對廣大民眾開放的姿態，並以普及新學、啟迪民智為己任。由於當時的國民還不懂得利用圖書館，強學會的成員便四處邀人甚至求人來看書。據梁啟超回憶，強學會書藏成立後，「備置圖書儀器，邀人來觀，冀輸入世界之智識於我國民。該書藏中有一世界地圖，會中同人視如拱璧，日出求人來現。偶得一人來觀，即欣喜無量」(《梁任公先生年譜長編》)。這種傳播知識、開發民智的一片熱忱，令人感動不已，已然是現代公共圖書館的姿態。

同年 11 月，有人即以「私立會黨」「顯干例禁」為由，奏請清廷查封，強學會遂被禁，前後僅有四個月的時間。

強學會書藏雖是個短命的組織，但影響卻很大。據統計，在 1896 至 1898 年的幾年中，全國各地共成立了學會 87 個，學堂 137 所，報館 91 所。在這些雨後春筍

般湧現的學會等組織中，很多都建立了具有近代圖書館性質的書藏或書樓。武昌質學會在《章程》中稱：「今擬廣搜圖書，以饗會友。中書局外兼購西書，凡五洲史籍，格致專家，律制章程，制度政典，皆儲藏賅備，以資他山。」上海強學會以「開大書藏」為其主要宗旨之一，具體做法是模仿西方的圖書館：「泰西通都大邑，必有大藏書樓，即中國書籍亦藏弄至多。今合中國四庫圖書，備鈔一份，而先搜其經世有用者。西人政教及各種學術圖書，皆旁搜購採，以廣考鏡而備研求。其各省書局之書，皆存局代售。」衡州任學會「擬設格致書室一所，以開民智，任人觀看」。這些遍及全國的學會書藏和書樓的大批湧現，成為中國公共圖書館事業的先聲，為 20 世紀初年各地公共圖書館的普遍建立奠定了良好的基礎。

3 官書局藏書院

強學會書藏還產生了一個直接的重要結果，就是促成了官書局藏書院的創辦。

強學會被查封後，引起了朝野的廣泛不滿，許多有

識之士紛紛上書要求解禁。結果清廷決定將強學會改為官書局，並派吏部尚書孫家鼐任官書局督辦。

　　孫家鼐雖然不是維新派，但卻接受了一些新思想，主張興辦新式教育和創辦圖書館。他反對封禁強學會，認為強學會書藏「意在流通祕要圖書，考驗格致精蘊」，並指出「此日多一讀書之士，即他日多一報國之人」（孫家鼐《官書局開設緣由》）。孫家鼐主持撰寫的《官書局奏開辦章程》中第一條便是「設藏書院」。

　　按照孫家鼐的主張，總理衙門每月撥發官書局經費一千兩銀，成為官書局藏書院購置圖書的主要經費來源。為保證藏書（尤其是洋文圖書）的質量，官書局聘請「通曉中西學間」的洋人教習幫助選購圖書，並委派專職司事和譯官「收掌書籍」。藏書院成立後，曾各處「咨取書籍」，「搜求有用之圖書」。當時官書局藏書院的藏書主要有「列朝聖訓、欽定諸書及各衙門現行則例，各省

孫家鼐

通志，河槽鹽厘各項政書」，以及「古今經史子集有關政學術業者」。儘管收藏內容上還有官辦藏書機構的不少遺風，但仍注意到新學和經世致用圖書的收藏。

官書局藏書院雖然不像強學會書藏那樣熱衷於圖書的傳播，但也繼承了開放的精神，「用備留心時事、請求學問者入院借觀，恢廣學識」（孫家鼐《官書局奏開辦章程》）。因此，官書局藏書院的性質也屬於近代的新型圖書館，並在某種程度上繼承了強學會書藏所開創的事業。而且，由於官書局藏書院具有官辦背景，其藏書之規模比強學會書藏更為宏大，社會地位也更牢固。

1898 年京師大學堂成立後，官書局及其藏書院都歸併於其中，成為京師大學堂藏書樓的組成部分。

4 古越藏書樓

在 20 世紀初年興辦圖書館的潮流中，得風氣之先的當屬東南各省，其中最為人們稱道的就是被譽為近代公共圖書館先河的古越藏書樓。

古越藏書樓的創辦者是紹興紳紳徐樹蘭。徐樹蘭，字仲凡，號檢庵，浙江紹興人，道光十七年（1837）

生，光緒二十八年（1902）卒，享年 66 歲。光緒三年（1877）中舉人，曾任兵部郎中、候選知府、鹽運使等職。後以母病歸鄉，熱心於興辦各種社會公益事業，如籌辦中西學堂，修築海堤，創設義倉和救疫局等，因此深孚眾望。

徐氏創辦的西方式教育機構「紹郡中西學堂」，推行新式教育，在東南產生了較大影響。而後徐氏又把目光投向了西方式的圖書館，認定了開辦公共圖書館這條道路。他從西方的圖書館得到了啟迪：「泰西各國講求教育，輒以藏書樓與學堂相輔而行。都會之地，學校既多，大必建樓藏書，資人觀覽。……一時文學蒸蒸日上，良有以也。」因此，他「參酌各國規制」，創建了古越藏書樓（徐樹蘭《為捐建古越藏書樓懇請奏咨立案文》）。

古越藏書樓「集議於庚子，告成於癸卯」（張謇《古越藏書樓記》），亦即創辦於 1900 年，建成於 1903 年。為興辦這一前無古人的事業，徐氏獨家捐銀 8600 餘兩，在紹興城西的古貢院購地一畝六分，開工營造藏書樓。建成的古越藏書樓為四進樓房，前為藏書用的樓房，中有廳堂為公共閱覽室，備有桌椅器具。樓中藏書，除徐氏家藏外，又購置了新出的譯書及圖書、標

本、報章等，使藏書總量達七萬餘卷，僅書目就有 35
卷。這些費用共用銀三萬二千九百餘兩。此外徐樹蘭又
每年捐洋 1000 元，作為古越藏書樓的日常開支。這些
錢都是徐氏自捐或籌集的。

遺憾的是，徐樹蘭沒有最後看到古越藏書樓的建
成開放，即於 1902 年去世。徐樹蘭之子徐顯民繼承父
志，完成了古越藏書樓的建造，並對全郡開放。辛亥革
命前後，古越藏書樓一度停辦。1915 年徐氏後人呈請繼
續開辦古越藏書樓，受到當時教育部的嘉許。抗日戰爭
前，古越藏書樓改名為紹興縣立圖書館。中華人民共和
國成立後，其藏書移交紹興魯迅圖書館。現在紹興市勝
利路古越藏書樓舊址尚存石庫牆門和臨街樓。

徐樹蘭創辦的古越藏書樓在我國現代圖書館史上有
着特殊的地位和作用。

第一，古越藏書樓是徐氏以私人之力創辦的新型公
共圖書館。這在中國圖書館史上是個創舉，在世界上也
不多見。在中國近代圖書館事業步入實施時期之始，徐
樹蘭以個人之力，捐巨資促進了新型公共圖書館的誕
生與發展，與美國鋼鐵大王卡耐基異曲同工，其功不
可沒。

第二，徐樹蘭打出了「存古、開新」的旗幟，為後

來的圖書館廣泛收集和傳播「新學圖書」，尤其是西方文獻開創了一個良好範例。其實，「存古」只是幌子，「開新」才是實質。古越藏書樓的貢獻正在於收藏了大量時務、實業等新書，以及當時國人尚未給予應有關注的外文圖書。這正是徐樹蘭慧眼獨具之處，使古越藏書樓得以開風氣之先。

　　第三，古越藏書樓以西方圖書館為模本，學習和借鑒了西方圖書館的制度與方法。古越藏書樓雖冠之以舊式藏書樓之名，但其性質已完全是新型的圖書館，是取法於西方而創建的公共圖書機構。徐樹蘭對西方思想文化的理解與認識，奠定了古越藏書樓的基礎，也使古越藏書樓產生了迥異於舊式藏書的巨大社會功用。少年蔡元培就曾在古越藏書樓擔任「校書」的工作，得以博覽中外羣書，為日後成為一代大師奠定了學問基礎，提供了新思想的啟蒙。

五、羣星璀璨

1 京師大學堂藏書樓

　　揭開中國現代圖書館序幕的是京師大學堂藏書樓。

　　舊式官辦學校的藏書機構被稱為「官學藏書」。這種官學藏書的起源很早，《禮記》中就有周代「禮在瞽宗，書在上庠」的記載，上庠就是古代的大學。西漢時期，正式建立了太學，並有專門的太學藏書，「外則有太常、太史、博士之藏，內則有延閣、廣內、祕室之府」（《漢書‧藝文志》），其中博士藏書即是專用的官學藏書。東漢時期的中央藏書機構有辟雍、東觀、蘭台、石室、宣明、鴻都等，其中辟雍、鴻都即為中央官學的藏書機構。隋朝文帝年間設立了國子寺，煬帝時又改為國子監，從此國子監就成為我國古代的中央大學

彝倫堂，原名崇文閣，是
國子監的藏書場所

和全國教育管理機關，其後各朝代均相沿不改。而以國子監藏書為主體的中央官學藏書體系也就最後形成並確立下來，成為我國古代藏書事業的一個重要的組成部分。

至清朝末期，廢科舉，辦學堂，舊時代官學藏書的歷史使命就宣告結束了。京師大學堂藏書樓就是在這種歷史背景下誕生的。清朝政府本意是將京師大學堂藏書樓作為傳統官學藏書的延續來創辦的，但它卻成了我國新型大學圖書館的開端。因此，京師大學堂藏書樓既是封建王朝所興辦的最後一個官學藏書，也是近代教育興起後的第一所大學圖書館；它既是我國古代官學藏書幾千年歷史的最後一幕，也是我國新興的大學圖書館起步的第一篇。

然而就京師大學堂藏書樓本身的性質來看，它所繼承的僅僅是傳統官學藏書的形式，其內涵卻是按照現代

教育的需要和西方式大學圖書館的模式，在一個新起點上重新探索起步的新型大學圖書館。

京師大學堂創建於光緒二十四年（1898）七月，是戊戌變法中「新政」的產物。當時的吏部尚書兼官書局督辦孫家鼐任管學大臣，而京師大學堂的實際倡導者和設計者是梁啟超等維新派領袖。同年九月，以慈禧太后為代表的頑固派即發動戊戌政變，各種新政、新法盡遭廢黜，這時京師大學堂僅建立兩個月時間。儘管大學堂本身得以倖存，但興辦新式教育，廣育人才、講求時務等宗旨均已無法實現。庚子年間（1900），義和團和八國聯軍先後進京，京師大學堂被迫停辦。光緒二十八年（1902）京師大學堂復校，張百熙就任管學大臣，學校的各項教育活動逐步正規，並開始轉入了近代教育的軌道。1912 年 5 月，京師大學堂改稱北京大學。

學界過去認為京師大學堂藏書樓創建於京師大學堂復校時的 1902 年，筆者所著《北京大學圖書館九十年紀略》和《從藏書樓到圖書館》亦沿襲了這一論點。但近年研究發現，京師大學堂藏書樓實際上建立於 1898 年，是與京師大學堂同時問世的，是戊戌維新的直接產物。

　　實際上早在醞釀和籌建大學堂的初期，其首倡者和創辦人就已經有了在京師大學堂建立藏書樓的具體構想。光緒二十二年（1896），刑部左侍郎李端棻就在梁啟超參與起草的著名的《請推廣學校摺》中，首次提出建立京師大學堂，並同時提出了「設藏書樓」的主張。同年，奉旨籌辦京師大學堂的孫家鼐也上書皇帝，指出「儀器、圖書，亦必庋藏合度」，因此京師大學堂要「建藏書樓、博物館」。就連光緒皇帝也發出了為京師大學堂撥款「購圖書、備儀器」的上諭。關於藏書樓主管官員的人選，清廷和管學大臣孫家鼐也做出了安排：「藏書樓提調一員：詹事府左香坊左庶子李昭煒。」

　　1898 年 7 月 4 日，光緒皇帝正式下令批准設立京師大學堂，任命孫家鼐為管學大臣，並制定了《京師大學堂章程》。這份《章程》是梁啟超代總理衙門起草的，其中把藏書樓的建設放置在十分重要的地位。《章程》認為：「學者應讀之書甚多，一人之力必不能盡購。……京師大學堂為各省表率，體制尤當崇閎。今設一大藏書樓，廣集中西要籍，以供士林瀏覽，以廣天下風氣。」同時，《章程》對藏書樓的體制和經費預算做了種種具體規定。《京師大學堂章程》是中國近代高等教育史上成文最早、影響最大的官方正式文獻，同時也

是中國近代圖書館史，尤其是大學圖書館史上最早、最完備的建館章程。

在京師大學堂成立的同時，官書局也併入了大學堂。這樣，原強學會書藏和官書局藏書院的圖書也歸到了京師大學堂名下，成為京師大學堂的第一批藏書。可惜的是，這些珍貴的圖書大都在庚子事變中被毀了。

光緒二十八年一月，清政府迫於朝野上下維新變法的壓力，下令恢復已停辦兩年之久的京師大學堂，並任命張百熙為管學大臣。張氏是一位具有開明思想的教育家，他受命為管學大臣後，馬上就把籌辦藏書樓列為恢復京師大學堂的一個重要內容。他在《奏辦京師大學堂》的奏摺中建議：「書籍儀器宜廣擴也」的建議。

由張百熙主持制定的《欽定京師大學堂章程》也繼承了原《京師大學堂章程》中重視藏書樓建設的精神。張氏的《章程》中把學堂中應有設備的第一項就列為圖書，還正式規定「設藏書樓、博物館提調各一員，以經理書籍、儀器、標本、模型等件」。同時還把重建藏書樓房舍列入《章程》，準備「於空曠處擇地建造」。

京師大學堂創辦之初的校址在地安門內馬神廟（今景山東街）前的和嘉公主舊第，亦稱四公主府。這座宅

第的中心是一個大殿，殿中供奉着孔子的神位。大殿的後方有一座小樓房，相傳是和嘉公主的梳妝樓，這裏就是京師大學堂藏書樓的所在地。

藏書樓的主管人當時叫提調官。提調官係沿用古代的官職名稱，明清以來任提調職的多是管理文化和教育事務的官員，如提調學校宮、軍機處番書房提調官、武英殿修書處提調官等，品級沒有定制。京師大學堂中的提調宮是僅次於管學大臣和總辦的學官，共設有十人左右，分為兩種不同的類型：一是協助總辦處理日常工作和學生事務的，稱「堂提調」；二是分管各項專門事務的，藏書樓提調即屬此類。

1903 年，清政府頒佈全國高等教育綱領《奏定大學堂章程》，其中規定全國大學堂的藏書機構統稱圖書館，主管人為圖書館經理官。這是我國的官方文件中首次使用圖書館的名稱。但是在京師大學堂，人們仍習慣沿用藏書樓的舊稱。當時的做法是：於樓額仍沿用藏書樓之名，而於章程則標為圖書館。而藏書樓的主管人，則從 1904 年起改為圖書館經理官。我們今天所說的京師大學堂藏書樓，也是指整個京師大學堂時期的藏書機構，亦即從藏書樓建立到 1912 年改稱北京大學圖書館的整個時期。

1903 年京師大學堂學生留影

　　京師大學堂復校後，就開始了建設藏書的活動。
1902 年，同文館歸併於京師大學堂，後改為京師大學
堂譯學館。同文館書閣，這所我國早期雛形的大學圖書
館，其藏書成為京師大學堂復校後的第一批圖書。

　　為了充實藏書，按照管學大臣張百熙的意見，
從 1902 年初就以官方徵調的名義收集各省官書局的圖
書。經清廷批准後，由管學大臣行文：「迅飭官書局將
已列各種經史子集以及時務新書，每種提取十部或數
部，刻日齎送來京，以備歸入藏書樓存儲。……統歸本

省書局項下報銷。」一般說來，只有國家圖書館才有權以國家政權名義在全國無償徵調圖書，在當時中國沒有國家圖書館的情況下，京師大學堂藏書樓實際上居於與國家圖書館相當的地位，才有可能這樣做，並在多年中實際擔負着收集和保存官方出版物這一國家圖書館的職能。

這種方法收效很大，1902年當年就收到了江蘇、廣東、湖北、湖南、浙江等省官書局的大批圖書。再加上採買了一部分中外典籍，藏書樓初建時圖書可達7.8萬冊左右。當時從各地徵調的圖書，大部分是經史子集舊籍，以及各省的地方文獻等。但其中也有很多新學圖書，即所謂「時務新書」，如駐日使館和留日學生編譯的《東三省鐵路圖》《悉畢利（西伯利亞）鐵路圖》等，都是由各省官書局刻印後送到京師大學堂的。

除了從各省官書局進書，京師大學堂藏書樓還十分注重採購民間的書籍。1903年就曾派人到南方各省專程採買書籍。此後還通過各種方法訪求民間圖書。經過數年的努力，收穫很大，購置了大量民間刻印和流散的重要圖書，其中包括許多宋元刻本、明清抄本等罕見珍品。

作為最高學府的藏書機構和享譽一時的圖書館，京師大學堂藏書樓還接受了許多官方和個人的饋贈。例如，1903年和1904年，外務部撥來《海關貿易通商總

冊》和《古今圖書集成》各一部；1904 年，巴陵方氏捐
贈了碧琳琅館藏書；1910 年，清廷賞賜了《大清會典》
三部；等等。這些捐贈的圖書也是京師大學堂藏書樓重
要的藏書來源，其中不乏其他途徑採訪不到的珍品。如
方氏碧琳琅館藏書，即出自清代著名藏書家方功惠。方
功惠字慶齡，號柳橋，巴陵（今湖南岳陽）人，曾任
廣東道員，在廣東任職 30 餘年。他平生嗜好圖籍，在
廣州建立「碧琳琅館」用以藏書，全盛時曾達 20 餘萬
卷，祕本極多，還有從日本佐伯文庫收回的珍本。其收
藏被時人譽為「粵城之冠」。方功惠於 1899 年去世後，
碧琳琅館藏書運至北京，適逢庚子之變，損失不少。其
子方大芝是一位頗具開明思想的士紳，決定將所餘藏書
盡數捐贈給京師大學堂藏書樓。方大芝捐贈的圖書共計
1886 種、22170 冊，當時約值銀 1.2 萬兩。這部分圖書
後來成為北大圖書館善本藏書的基礎。

　　經過多年的積累和建設，京師大學堂藏書樓具有了
雄厚的館藏基礎，無論是古籍善本，還是西學圖書，當
時都處於全國領先的地位。從 1910 年圖書館經理官王
誦熙主持編撰的《大學堂圖書館漢文圖書草目》看，截
至 1909 年，僅中日文圖書就有八千餘種。

　　京師大學堂藏書樓豐富的藏書受到了師生們的歡

迎，也為這所新創立的大學圖書館帶來了聲譽。清末有一位名叫陳漢章的舉人，原被京師大學堂聘為教席，但他到校後發現藏書樓的收藏十分豐富，就毅然決定不做教席而當學生，以求盡覽藏書樓的書籍。經過六年的學習鑽研，陳漢章於民國二年以甲等第一名畢業，後來成為著名的國學大師。他的研讀精神和成才經歷曾傳為京師大學堂藏書樓的一段佳話。

京師大學堂藏書樓的建立與發展是我國近代圖書館史上的一件大事，對我國新式圖書館的成熟與完善有着極大的影響。當時它雖然名為藏書樓，但其性質已完全是新型的大學圖書館。如果從其前身同文館書閣和強學會書藏算起，它就是我國近代自行創辦的最早的新式圖書館，也是當時規模最齊備、影響最廣泛的圖書館。由於京師大學堂有着全國最高學府的地位，使得京師大學堂藏書樓在我國圖書館發展史上的作用遠遠超過了當時的一些傳教士、學堂或開明縉紳所創辦的新式圖書館。在 1909 年京師圖書館（今北京圖書館）正式成立之前，京師大學堂藏書樓實際上是我國新型圖書館的一面旗幟和楷模。從各地官書局繳送圖書的情況看，京師大學堂藏書樓也在實際上履行着國家圖書館的職能。京師大學堂藏書樓在我國學校圖書館發展史上的作用尤為關鍵。

由於京師大學堂兼有最高學府和全國教育管理機關的雙重地位，所以它的辦校、辦館方式實際上成了全國院校的一個範例。誠如當年梁啟超等人所期望的，京師大學堂藏書樓起到了「以廣天下風氣」的作用。此後，辦學堂必建圖書館，建圖書館必取法於京師大學堂藏書樓，在當時興辦新式教育的潮流中已蔚成風氣。這種局面的形成，是與京師大學堂藏書樓的作用和影響分不開的。

1912 年，京師大學堂藏書樓改稱北京大學圖書館，20 年代亦曾稱北京大學圖書部。1918 年，圖書館

1935 年，北京大學圖書館新館落成

搬入新建成的北京大學一院紅樓。1931年，北大圖書館搬入紅樓北面的松公府。1935年，新館建築落成，建築面積6600平方米，堪稱國內一流的圖書館，在世界上也屬先進行列。

1937年，全面抗戰爆發，北京大學南遷，幾經動盪，於1938年在昆明與清華大學、南開大學一起建立了西南聯合大學，同時建立了西南聯大圖書館。抗戰勝利後的1946年，北京大學在北平復校，圖書館也從昆明回遷，同時接收了淪陷區的北大圖書館。

中華人民共和國成立後，1952年全國院系調整，北大圖書館遷至燕園的原燕京大學圖書館館舍。1975年，圖書館新館建設完工，面積達2.4萬平方米，鄧小平題寫了館名。2005年，擴建的西樓工程完成，總館面積達到5.3萬平方米。

現在，北京大學圖書館以世界一流大學圖書館的面貌呈現於世人面前。到2011年年底，文獻資源累積量約1100餘萬冊（件）。其中紙質藏書800餘萬冊，以及近年來大量引進和自建的國內外數字資源約300餘萬。館藏中以150萬冊中文古籍為世界矚目，其中20萬件為5～18世紀的珍貴書籍，是中華民族的文化瑰寶。外文善本、金石拓片、1949年前出版物的收藏均名列國

內圖書館前茅。此外，還有燕京大學學位論文、名人捐贈等特色收藏。

2 各省官辦公共圖書館及京師圖書館

在我國現代圖書館發展史上，真正奠定新型圖書館基礎、起到了劃時代作用的，當屬各地區（尤其是省一級）官辦大型公共圖書館和國家圖書館的建立。因為面向整個地區乃至全國的大型公共圖書館是整個圖書館事業的中樞和基礎，也是國家圖書館事業崛起和形成的標誌；而興辦這樣的大型圖書館，又決非私家或團體之力所能辦到，只能依靠政府興辦和公費支持才能實現。

20 世紀初年，中國進入了史稱「清末新政」的時期。1900 年庚子事變不僅使國家付出了沉重的代價，也使清朝統治集團幾乎陷入了滅頂之災。在窮途末路之中，慈禧太后於 1901 年在避禍西安時就宣佈要「變通政治」，實行新政。在此後的幾年中，清政府相繼採取了一些「變法新政」的措施，如將總理各國事務衙門改為外交部，成立商部，制定商律，獎勵公司，開辦學堂，選派留學，裁汰綠營，組練新軍等。1906 年清政府

又宣佈「預備立憲」。

正是在這樣的歷史背景下，興起了中國歷史上的第一次「新圖書館運動」。當時無論是中央政府的親貴重臣及學部，還是各個地方督撫，都紛紛上奏設立圖書館。清政府也正式將建立京師和各行省圖書館列入了「預備立憲」的內容。從這時起，建設圖書館就變成了「官制」，也就是政府興辦的國家行為，不再是開明士紳倡導的民間活動，也不僅僅是開辦新式學堂教育的附屬物。應該說，清廷的一系列新政並不像後人所說的那樣是「一場政治騙局」，圖書館的興起就是其積極成果之一。

順乎其勢，在 20 世紀初年，各省的官辦公共圖書館如同雨後春筍，相繼在各地出現。這是在西方湧來的新思潮的推動下所產生的瓜熟蒂落的效應，也是幾代有識之士多年奔走呼號、不懈奮鬥的結果。公共圖書館成為「清末新政」得以留存下來的為數不多的有益成果之一，為衰朽的滿清王朝的塗抹了最後幾點亮色。

新式圖書館，尤其是各地官辦公共圖書館的誕生，標誌着中國圖書館事業從醞釀時期、萌芽時期，進入了全面的實施時期。這一時期各地建立的官辦大型圖書館不下 20 所，情況如下表所列。

清末主要官辦公共圖書館一覽表（以創辦時間先後為序）

創辦時間	名　稱	地　點	創辦人	備　註
1903 年	浙江藏書樓	杭州	張享嘉	1909 年改浙江圖書館
1904 年 3 月	湖北圖書館	武昌	張之洞	
1904 年 3 月	湖南圖書館兼教育博物館	長沙	龐鴻書	1905 年正式定名為湖南圖書館
1904 年	福建圖書館	福州		
1907 年	江南圖書館	江寧（南京）	端方、繆荃孫	
1908 年 10 月	直隸省城圖書館	天津	盧靖	
1908 年	黑龍江圖書館	齊齊哈爾	徐世昌、周樹模	
1908 年	奉天省圖書館	奉天（瀋陽）	張鶴齡	
1909 年 2 月	山東圖書館	濟南	袁樹勛	
1909 年 2 月	河南圖書館	開封	孔祥霖	
1909 年 5 月	吉林圖書館	吉林	錫良、陳昭常	
1909 年 7 月	京師圖書館	北京	張之洞、繆荃孫	
1909 年	陝西圖書館	西安	恩壽	
1909 年	歸化圖書館	歸化	三多	

（續表）

創辦時間	名　稱	地　點	創辦人	備　註
1909 年	雲南圖書館	昆明	沈秉堃	1910 年 3 月正式開館
1909 年	廣東圖書館	廣州	沈曾桐	由張之洞創辦的廣稚書局藏書樓擴建而成
1909 年	山西圖書館	太原	寶棻	
1910 年	廣西圖書館	桂林	張鳴岐	
1910 年	甘肅圖書館	蘭州	陳曾佑	
1910 年	上海圖書館	上海	盛宣懷	

在這些大型官辦公共圖書館中，實力最雄厚、影響最大的是南京的江南圖書館和北京的京師圖書館。這南北兩大圖書館的實際創建人，都是我國近代著名的圖書館學家繆荃孫。

繆荃孫，字炎之，一字筱珊，又作小山，晚年號藝風，江蘇省江陰縣人。道光二十四年（1844）生，1919年卒，享年 76 歲。他是清末著名的史學家、教育家，也是名重一時的藏書家、目錄學家和圖書館學家。繆荃孫青年時即致力於考據學、目錄學和金石學。同治六年（1867）中舉，光緒二年（1876）中進士，任翰林院編

修，供職於史館。其間曾被招入張之洞幕府，為張撰寫《書目答問》。繆氏畢生酷愛圖書，學識淵博，著述頗多，其中很多都是有關圖書和目錄學的。除在近代學術界影響極大的《書目答問》外，還有《藝風堂藏書記》《藝風堂讀書

繆荃孫畫像

記》《盛氏愚齋圖書館藏書目錄》《京師圖書館善本書目》《各省志書目》《宋元本留真譜》等，堪稱一代宗師。他的個人收藏「藝風堂藏書」，經長期搜求，珍、善本極豐，全盛時曾達十多萬卷。

江南圖書館創建於光緒三十三年（1907）。是年繆荃孫受兩江總督端方的委派，出任江南圖書館監督，據繆氏自述：「午帥（端方）奏派主圖書館事。十日，偕陳善餘赴浙，購八千卷樓藏書，以七萬元得之。丁氏書旋陸續運江寧。」這裏所說的就是著名清末四大藏書樓之一的丁氏八千卷樓，這批珍貴的圖書奠定了江南圖書館的藏書基礎。此後，又陸續購買了許多圖書，並接收清廷撥發的《古今圖書集成》等，使江南圖書館的藏書

日益豐富，在東南各省中產生了很大的影響。清廷學部曾稱：「各省設立圖書館，在憲政籌備之內，江南最為完備，經費頗省，來閱覽者亦多。」可見江南圖書館是各省圖書館中的佼佼者，受到了當時朝野普遍的關注。

1912年，江南圖書館改稱江南圖書局，又改稱江蘇省立圖書館。民國期間，該館曾多次易名，有江蘇省立第一圖書館、第四中山大學圖書館、江蘇大學國學圖書館、中央大學國學圖書館、江蘇省立國學圖書館等稱。中華人民共和國成立後，該館與南京圖書館合併，現為南京圖書館古籍部。

在我國現代圖書館事業史上產生了劃時代作用和最重要影響的事件，當首推京師圖書館的創建。如果說京師大學堂藏書樓是戊戌維新的直接結果，那麼京師圖書館就是清末「預備立憲」的直接產物。

在首都設立國家圖書館的構想由來已久，鄭觀應、李端棻、梁啟超等人都曾倡導過全國性的大型圖書館。然而由於歷史的原因，國家圖書館的出現卻明顯落後於各省的官辦圖書館。光緒三十二年（1906），羅振玉寫了《京師創設圖書館私議》一文，再次比照西方諸國提出倡議：「方今歐、美、日本各邦，圖書館之增設與文明之進步相追逐，而中國則尚闃然無聞焉。鄙意此事

亟應由學部倡率，先規劃京師之圖書館，而推之各省
會。」並同時提出了擇地建築、請賜書、開民間獻書之
路、徵取各省志書及古今刻石、置寫官、採訪外國圖書
等六項建議。至宣統元年（1909），清廷籌備立憲，學
部於當年三月寫出了《奏分年籌備事宜摺》，提出於宣
統元年「京師開辦圖書館」和「頒佈圖書館章程」的計
劃。這樣。創辦京師圖書館就成為預備立憲的內容，被
正式列入政府日程。

　　籌建京師圖書館之事由學部大臣張之洞主持。據
《張文襄公年譜》記載，宣統元年七月，張之洞病重，
彌留之際呈上了《學部奏籌建京師圖書館摺》，是張之
洞生前的最後一個奏摺。此項奏議於同年八月初五獲清
廷批准，是為京師圖書館正式誕生的標誌。

　　繆荃孫被委任為京師圖書館監督（館長）。繆氏接
到任命後，當即赴江南協商購買常熟瞿氏的「鐵琴銅劍
樓」藏書。當時京師圖書館沒有專門的館舍，繆荃孫等
人只能在城北廣化寺整理圖書。據現在所知，最初入藏
的有翰林院和國子監的藏書及內閣大庫殘本，調集的各
省官書，還徵調了翰林院《永樂大典》、庫倫「唐開元
御製故闕特勤碑拓片」、敦煌經卷、常熟瞿氏藏書、湖
州姚氏藏書、揚州徐氏藏書等善本入藏。京師圖書館中

設正副監督各一人，提調四人。館內事務分為典藏科、檢查科、文牘科、庶務科四科，各科設正副科長各一人，科員、寫官若干人。館內沒有正式的預算經費，用費均由學部請領，每月約千兩銀。

京師圖書館創建的第二年（宣統二年，1910），學部擬定的《京師圖書館及各省圖書館通行章程》正式頒佈。這是我國官方第一個圖書館法規，也是我國圖書館事業史上的一件大事。該章程開宗明義，第一條即指出：「圖書館之設，所以保存國粹，造就通才，以備碩學專家研究學藝、學生士人檢閱考證之用，以廣徵博採、供人瀏覽為宗旨。」應該說這一思想是深得新型圖書館之精髓的。章程中對各種公共圖書館的收藏範圍、職責、管理制度、流通方法均做了詳明的規定，是我國圖書館事業成熟的集中體現。

以京師圖書館的建立和《京師圖書館及各省圖書館通行章程》的頒佈為標誌，中國的圖書館走完了從藏書樓到圖書館的曲折歷程，由此完成了量變到質變的飛躍，一個新型的、西方式的、迥異於幾千年藏書樓傳統的現代圖書館事業宣告誕生了。

辛亥革命之前，京師圖書館處於搜求、整理圖書的籌辦階段，一直沒有對讀者開放，原擬位於德勝門內淨

業湖的新館也一直沒有建成，暫借什剎海北岸的廣化寺為館址。

　　民國建立後，京師圖書館於 1912 年 8 月正式開館。1917 年，移至方家胡同原國子監南學舊址。1928年 7 月，更名為國立北平圖書館，館舍遷至中南海居仁堂。1929 年 8 月與北平北海圖書館合併，仍名國立北平圖書館。1931 年，文津街館舍（現古籍館）落成，成為當時國內規模最大、最先進的圖書館。

　　1950 年，更名為國立北京圖書館。1951 年，更名為北京圖書館。1987 年，白石橋新館建成開放，鄧小平題寫館名。1998 年，北京圖書館更名為國家圖書館，對外稱中國國家圖書館。2008 年，國家圖書館二期工程暨國家數字圖書館（現稱總館北區）建成並投入使用。至此，國家圖書館建築面積增至 25 萬平方米，居世界國家圖書館第三位。

　　國家圖書館館藏宏富，品類齊全，古今中外，集精擷萃。截至 2012 年底，館藏文獻已達 3119 萬冊（件），居世界國家圖書館第五位，並以每年近百萬冊（件）的速度增長。館藏敦煌遺書、善本古籍、金石拓片、古代輿圖、少數民族文字典籍、名家手稿等珍品 290 多萬冊（件），聞名遐邇，世界矚目。

3「五四」時期的北京大學圖書館

　　辛亥革命後的 1912 年，京師大學堂藏書樓更名為北京大學圖書館。

　　民國初期的北京大學總體上還處於落後的狀態，封建官僚積習極為濃厚。圖書館也相應發展遲緩，管理混亂，服務滯後。當時的師生批評圖書館「藏置無多，而辦理無方，難厭自修者之望」。據記載，北大圖書館的購書經費民國元年只有 3.5 兩銀，民國三年只有 68.8 元，而民國二年卻有 13108.5 元，可見經費只是每年酌情撥發，數量很少，且極不穩定。

　　這種狀況直到蔡元培出任北京大學校長、李大釗出任北大圖書館館長後才得到徹底改觀。

　　蔡元培（1868～1940），字鶴卿，號子民，紹興山陰人，是著名民主革命家、思想家和教育家。少年時曾在古越藏書樓校書，得以博覽羣書，接觸新學，了解圖書館。清末曾中進士，任翰林院編修。早年積極從事教育活動，參加孫中山領導的反清民主革命。辛亥革命後出任南京臨時政府第一任教育總長。

　　蔡元培 1916 年被任命為北京大學校長，1917 年初

到任。到任後，蔡元培對北京大學進行了大刀闊斧地整頓和改革，聘請了陳獨秀、胡適、李大釗等一批有學識的新派學者任教，建立了一整套現代大學制度，提倡思想自由，兼容並包。通過蔡元培的鼎力革新，北京大學成功完成了向現代大學的轉變，在全國教育界、學術界和思想界發揮出愈加重大的影響，為新文化運動和五四運動做出了重大貢獻。

蔡元培還是一位熱心圖書館的學者和教育家。早年就曾在故鄉古越藏書樓受到圖書館的啟蒙，提倡「自由讀書」的精神。在畢生的著作和演講中，蔡元培多次闡述圖書館的重要作用，倡導「無人不當學，無時不當學」，因此要大力建設圖書館。1912 年出任教育總長後，所擬定的教育規劃中就有把建設大學圖書館作為「革新之起點」的方針。就職北京大學校長伊始，他提出：「余到校視事僅數日，校事多未詳悉。茲所計劃者二事：一曰改良講義……二曰添購書籍。」（《就任北京大學校長之演說》）

蔡元培改進北大圖書館最為得力的措施，是聘任年僅 30 歲的青年學者李大釗出任圖書館館長。後來北大評議會還通過決議，「圖書館主任改為教授」，使李大釗成為教授兼圖書部主任。這裏需要說明的是，從

1918 年～1931 年，紅樓一院作為北大圖書館

1920 年開始，北大圖書館同時使用「北京大學圖書部」的名稱，大約延續了十年。這是因為校長蔡元培對北京大學的體制做出了改革，圖書館隸屬總務處，而總務處下還有出版部、註冊部、庶務部等機構，為統一規範而有了圖書部之稱。但北京大學圖書館的名稱並沒有被取代，對外的正式場合仍以圖書館稱之。

　　李大釗（1889～1927），字守常，河北樂亭人，是中國共產主義運動的先驅，也是中國共產黨的主要創始人之一。早年留學日本早稻田大學，參加愛國學生運動，回國後又積極參加了正在興起的新文化運動。俄國十月革命後，李大釗成為中國最早的馬克思主義者和共

產主義者，也是五四運動的組織者和領導者之一。中國共產黨成立後，李大釗主要負責北方區的工作。1927 年4 月，在北京被奉系軍閥張作霖殺害。

李大釗不僅是一位傑出的革命家，同時也是成就卓著的圖書館學家，對我國圖書館學的研究和發展做出了許多重要的貢獻。任北大圖書館館長期間，李大釗發表了《在北京高等師範學校圖書館二周年紀念會演說辭》《美國圖書館員之訓練》《關於圖書館的研究》等一系列圖書館學的重要論文，最早從理論上對我國圖書館，尤其是大學圖書館的許多重大理論問題，做了深入的研究和探討，提出了許多深有影響的見解。同時，他還十分注意了解美國、英國、日本等國家的圖書館情況以吸收先進的經驗和方法。李大釗所做的這些研究，實際上代表着當時中國圖書館界的最高水平。

更為重要的是，李大釗還是中國現代大學圖書館的奠基者和北京大學圖書館的傑出領導人。李大釗是經原圖書館館長章士釗的推薦，由校長蔡元培聘請，出任北京大學圖書館館長的，從 1918 年 1 月至 1922 年 12月，任此職共有五年時間。在此期間，他對北大圖書館進行了一系列的整頓和改革，將其建設成為在全國屬於領先地位的、具有重大影響的一流大學圖書館。

　　正是有了蔡元培、李大釗這樣傑出的領導，北京大學圖書館在五四運動前後進入了一個黃金時代。1920 年《申報》曾稱：「北京大學自蔡子民任校長以來，特任李大釗氏任圖書館館長。李氏本為社會學專家，對於增進文化事業，昕夕籌思，不遺餘力，接辦之後，即從整理着手，凡編製目錄、改良收藏及陳列諸事，無不積極進行。」也正是因為李大釗在北大圖書館的卓越建樹，《世界圖書情報百科全書》稱他為「中國現代圖書館之父」（*ALA World Encyclopedia of Library and Information Services. American Library Association*，1980）。

　　李大釗在出任館長期間，把北大圖書館辦成了傳播新思想、新文化和宣傳馬克思主義的陣地。圖書館一掃以往因循守舊、死氣沉沉的局面，購買了一大批國內外進步書刊，其中有《新青年》《勞動者》《先驅》，*Soviet Russia*，*The New Russia*，*Communist* 等十餘種進步雜誌，以及德文版的《共產黨宣言》《政治經濟學批判》，日文版的《資本論》《資本論大綱》《馬克思傳》等 40 餘種馬列主義的著作。為了更好地宣傳和流通這些書刊，李大釗經常以圖書館的名義在《北京大學日刊》上進行指導和推薦，同時還開闢了介紹馬克思主義和俄國革命的專題閱覽室。如 1920 年 12 月 1 日的《北

京大學日刊》上曾刊登了《圖書館典書課通告》：「茲將本校所藏有關俄國革命題之參考書二十三種，陳列本課第四閱覽室內，以備同學諸君披閱。」這 23 種書中，有英文版的《布爾什維克的勝利》《列寧和他的工作》《無產階級的偉大革命》《俄國布爾什維克》等。

在李大釗的領導下，北大圖書館實際上成了我國最早的宣傳介紹馬克思主義和俄國革命的思想陣地，是馬克思主義在中國傳播的起點之一；同時，李大釗也是在任北大圖書館主任期間完成了向共產主義者的轉變，成為我國最早的馬克思主義者。正如 1927 年在武昌追悼李大釗的大會上高一涵所說：「入北大任圖書館主任，兼授唯物史觀及社會進化史，此為先生思想激變之時。」

1920 年 10 月，北京共產主義小組（當時稱北京共產黨小組）就是由李大釗主持，在北大圖書館主任室成立的。北京大學社會主義研究會、北京大學馬克思學說研究會、少年中國學會、《每周評論》編輯部等，也以北大圖書館為主要活動地點。

在李大釗的指導和支持下，一些進步學生於 1920 年年底成立了「北京大學馬克思學說研究會」，並建立了專門收藏馬列主義文獻的藏書室，取名為「亢慕義齋」。「亢慕義」即英文 Communism（共產主義）的音

譯。曾經參與其事的當時北大學生羅章龍，在《亢齋回憶錄》中對此有過一具體生動的描述：

守常先生領導我們建立的「亢慕義齋」，既是圖書館又是翻譯室，還做學會辦公室，黨支部與青年團和其他一些革命團體常在這裏集會活動。……「亢齋」室內牆壁正中掛有馬克思像，像的兩邊貼有一副對聯：「出研究室入監獄，南方兼有北方強」，還有兩個口號：「不破不立，不立不破」，四壁貼有革命詩歌、箴語、格言等，氣氛莊嚴，熱烈。

現在北大圖書館還保存有一批蓋有「亢慕義圖書館」印章的圖書，都是極為寶貴的文獻。從 1922 年 2 月的統計中可知，當時亢慕義齋已有馬克思主義的英文書籍 40 餘種、中文書籍 20 餘種，基本上包括了馬克思、恩格斯、列寧的主要代表著作。此外，現存於北大圖書館的有八本蓋有「亢慕義齋圖書」的德文共產主義文獻，據說是由共產國際代表維經斯基等人祕密送與李大釗的。在「五四」前後，馬克思主義學說剛剛傳入中國的時候，「亢慕義圖書館」即已有了如此完整系統的馬列主義文獻收藏，實屬難得。

受到北大圖書館直接影響的有一大批追求進步的青

年，他們當中有鄧中夏、羅章龍、毛澤東、張國燾、劉仁靜、張申府、高君宇、何孟雄等，都是後來中國政壇的風雲人物，其中最為重要的是毛澤東。

毛澤東在青年時代曾兩次與北京大學圖書館發生關係，一次在 1918 年 9 月至 1919 年 3 月，一次在 1919 年 12 月至 1920 年 4 月。

1918 年 8 月，為了組織新民學會會員和湖南學生去法國勤工儉學，毛澤東第一次來到北京，先是住在他在湖南第一師範時的老師、當時的北大教授楊昌濟家中，後又與蔡和森等人搬到景山東街的一間民房裏。經楊昌濟介紹，毛澤東認識了李大釗。

由於生計，毛澤東需要找個工作，為此毛澤東和蔡和森等給北大校長蔡元培寫了信。蔡元培建議毛澤東在北大圖書館工作，並給北大圖書館主任李大釗寫了一張條子說：「毛澤東君實行勤工儉學計劃，想在校內做事，請安插他在圖書館。」在李大釗的安排下，大約在 9 月底，毛澤東到北大圖書館工作。

關於毛澤東在北大圖書館的工作職務，許多論著都稱為「圖書館助理員」。但是，當時北大圖書館的各種工作人員中並沒有叫「助理員」的，而且北大的其他機構中也沒有「助理員」這一名稱。依據 1920 年編撰的

《國立北京大學職員錄》，當時的北大圖書館除主任外，
工作人員分為四種：（1）助教，1920年9月始設，聘
用的都是本校的大學畢業生；（2）事務員，一般是資歷
較深的工作人員，圖書館下屬各課的「領課」（即課長）
就明文規定「由一等事務員充任之」；（3）書記，一般
是新增聘的生手，北大圖書館就曾在《北京大學日刊》
上公開招聘書記；（4）雜務人員，有裝訂匠、打字員、
繕寫員等。從當時的情況看，毛澤東只可能是任「書
記」一職。

　　查毛澤東在北大圖書館任「圖書館助理員」之說的
來源，主要出自斯諾的《西行漫記》（即《紅星照耀中
國》）。毛澤東在延安時對斯諾說：「李大釗給了我圖書
館助理員的工作。」毛澤東的回憶被斯諾用英文記入了
《西行漫記》，原文是「assistant librarian」，也可以理
解為圖書館的「助教」。從毛澤東當時的資歷、待遇和
他所從事的工作看，都與助教的情況不同，而且任職時
北大圖書館還沒有助教這一稱謂。《西行漫記》是用英
文記述的，因此「圖書館助理員」之說很可能是譯者由
assistant librarian一詞望文生義而成的。這一流傳甚廣
的說法，實際上並不可靠。

　　當時北大圖書館剛剛從舊館舍遷入新建成的紅樓，

主要由五個閱覽室組成，第一閱覽室置中文雜誌，第二閱覽室置中外報紙，第三閱覽室置外文雜誌，第四、第五閱覽室置中外書籍。毛澤東在圖書館負責第二閱覽室，即報紙閱覽室，地點在紅樓一層西頭。他的具體工作是每天登記新到的報紙和閱覽人姓名，管理 15 種中外文報紙。這 15 種報紙是：天津的《大公報》，長沙的《大公報》，上海的《民國日報》《神州日報》，北京的《國民會報》《惟一日報》《順天時報》《甲寅日刊》《華文日報》，杭州的《之江日報》，瀋陽的《盛京時報》，英文的《導報》，日文的《支那新報》（兩種）和《朝日新聞》。

毛澤東在北大圖書館每月的工資是八元。當時北大助教的月薪約 50 元至 80 元，教授月薪至少在 200 元以上。收入雖然菲薄，卻保障了毛澤東在北京的生活，使他得以完成了組織留法勤工儉學的工作。更為重要的是，毛澤東在北京大學結識了李大釗等一批我國最早的一批馬克思主義者，閱讀了許多進步書刊以及當時還不多見的馬克思主義的書籍，對其日後的影響頗為關鍵。

1919 年 3 月，毛澤東偕同一批留法青年赴上海，離開了北大圖書館。1919 年 12 月，為了驅逐湖南軍閥張敬堯，毛澤東率領「驅張代表團」，第二次來到北

京，1920 年 4 月離去。

　　在第二次到北京期間，毛澤東雖然沒有再到北大圖書館工作，但仍與北大圖書館有着關係。他所領導的「驅張運動」很多活動就是在北京大學中開展的。在此期間，毛澤東還參加了李大釗、鄧中夏等人創辦的「少年中國學會」。同時，毛澤東利用北大圖書館讀了不少馬克思主義的書籍。據毛澤東後來對斯諾的敍述，他的馬克思主義信仰就是在此前後通過閱讀馬克思主義書籍而確立的。

　　在過去「造神」的年代裏，這段歷史被說成是「紅太陽照紅樓」，其作用顯然被誇大和歪曲了。實際上，當時的毛澤東只是個追求真理的青年，尚不是舉足輕重的領袖人物。毛澤東回憶這段經歷時說：「我的職位低微，大家都不理我。我的工作中有一項是登記來圖書館讀報人的姓名，可是對他們大多數人來說，我這個人是不存在的。在那些來閱覽的人當中，我認出一些有名的新文化運動頭面人物的名字，如傅斯年、羅家倫等等，我對他們極有興趣。我打算去和他們攀談政治和文化問題，可是他們都是些大忙人，沒有時間聽一個圖書館助理員（按：實際是書記，下同）說南方話」。這應是當時真實的情況。

　　但是，毛澤東在北大圖書館的經歷，也不是一件無足輕重的事情，不能將其歷史作用一筆抹殺。

　　毛澤東第一次來北京期間，正值五四運動前夕，新文化運動蓬勃發展，馬克思主義開始傳播。北大圖書館館長李大釗是我國最早的馬克思主義者，北大圖書館則是當時傳播新思想、新文化和馬克思主義的陣地。毛澤東說：「我在李大釗手下在國立北京大學當圖書館助理員時，就迅速地朝着馬克思主義的方向發展。」

　　對於第二次來北京，毛澤東後來回憶說：「我第二次到北京期間，讀了許多關於俄國情況的書。我熱心地搜尋那時候能找到的為數不多的用中文寫的共產主義書籍。有三本書特別深刻地銘刻在我的心中，建立起我對馬克思主義的信仰。我一旦接受了馬克思主義是對歷史的正確解釋後，我對馬克思主義的信仰就沒有動搖過。這三本書是：《共產黨宣言》，陳望道譯，這是用中文出版的第一本馬克思主義的書；《階級鬥爭》，考茨基著；《社會主義史》，柯卡普著。到了 1920 年夏天，在理論上，而且在某種程度的行動上，我已成為一個馬克思主義者了，而且我也認為自己是一個馬克思主義者了。」

　　這三本書北大圖書館當年均有收藏，它們是：馬克

思和恩格斯（當時譯作馬格斯和安格爾斯）的《共產黨宣言》，陳望道譯，1920年社會主義研究社出版，「社會主義研究小叢書」第一種；考茨基（當時譯作柯祖基）的《階級爭鬥》（上文中誤記為「階級鬥爭」），惲代英譯，1921年新青年出版社出版，「新青年叢書」第八種；克卡樸（上文中記為柯卡普）的《社會主義史》，李季譯，蔡元培序，1920年新青年出版社出版，「新青年叢書」第一種。這三本書現在仍存北大圖書館。這三本對毛澤東影響極大的書，除了第二種出版時間偏遲外，其餘兩種毛澤東很可能是在第二次來京期間在北大圖書館中讀到的。

　　從圖書館歷史的角度看，毛澤東兩次到北大圖書館也是一件大事。這雖然與毛澤東後來在中國歷史上的重要地位有關，但更為重要的是，此事反映出當時中國圖書館事業的發展和進步，以及在社會上的重要影響。我國最早的一批馬克思主義者中，有許多人馬克思主義信仰的形成均與北大圖書館有關。上文所提到的三本書，毛澤東便有可能在北大圖書館中讀到了兩本。即使毛澤東不是在北大圖書館讀到這些書，北大圖書館對這三本書的完整收藏也說明了圖書館在社會歷史進程中的重要作用。因為這三本書既然對毛澤東建立馬克思主義信

仰起到了如此重要的作用，也就能夠同樣影響其他的青年。從圖書館史的角度來看待毛澤東在北大圖書館的經歷，其重要意義就在於此。

4 文華公書林

在 20 世紀初年，在武昌鳳凰山下的曇華林，興建起一座美國模式的新式圖書館，這就是曾在中國現代圖書館歷史上發揮過非比尋常的重要作用的「文華公書林」。

說起這座著名的開放式圖書館，首先要提到它的創建者，旅居武昌的美國圖書館員韋棣華。這位傳奇式的女圖書館員，被曾任民國大總統的黎元洪稱為「中國現代圖書館運動的皇后」。

韋棣華（Mary Elizabeth Wood，1861～1931），出生於美國紐約州巴達維亞（Batavia N.Y.）附近一個名叫埃爾巴（Elba）的小鎮。同胞姐弟八人，韋棣華居長，是家中唯一的女孩。來華前曾在家鄉的理奇蒙德紀念圖書館（Richmond Memorial Library）工作了十年。還有人考證她曾出任過這家圖書館的館長。早期的圖書館工作經驗為她以後在中國興辦圖書館和推動圖書館事業奠

韋棣華

定了基礎。

　　1899 年年初，韋棣華的弟弟韋德生（Robert Edward Wood，1876～1952）被美國聖公會派赴武昌聖公會傳教。此時正值中國義和團運動興起，不斷出現燒教堂、殺教士的事件。消息傳到美國，引起韋棣華對其弟安全的擔憂，於是隻身來華探視，於 1900 年 5 月抵達武昌。發現其弟安然無恙，頗感欣慰，於是便留居武昌。

　　當時武昌城中有座由美國聖公會於 1871 年創辦的教會學校文華書院，英文全稱是 Bishop Boone Memorial School，即「佈恩主教紀念學院」，簡稱 Boone School，是為紀念美國聖公會第一位來華傳教的文主教（William Jones Boone，1811～1864，中文名文惠廉）而設立的。據稱，「文華」者，意謂「文章華國」，暗含「文主教在華傳教」的意思。這座已有近 30 年歷史的文華書院，也由於義和團騷亂的緣故，於 1900 年秋停辦了半年，1901 年春復校。文華書院復校後急需教員，於是韋德生便推

薦韋棣華進入文華書院擔任英語教員。

　　韋棣華在教學中發現，文華書院的圖書非常缺乏。出於曾經任職圖書館的職業本能，她覺得應該建立一所圖書館來解決學生的課外閱讀之需。於是在授課之餘，她便在該校校園內稱為「八角亭」的一間小屋內，陳列所能蒐集到的外文報章雜誌供學生閱覽。當時學生稱它為「報房」，此即文華公書林的雛形。

　　這時的文華書院逐漸有了較大的發展和改觀，由原來的中學，於 1903 年增設高等科，招收三年制學生，頒發文理學院畢業文憑。文華書院的英文名稱遂改為 Boone College，中文校名不變。此時韋棣華的「報房」已擴大到兩大間，取名為文華書院藏書室（Boone College Library）。

　　韋棣華雖然是一名虔誠的基督教徒，但她的來華並未負有傳教的使命。鑒於韋棣華依託教會做出了卓有成效的工作業績，美國聖公會於 1904 年任命韋棣華為世俗傳教士。

　　在此後的 1906～1907 年，韋棣華開始籌辦一所正規的圖書館，這是一個宏大而艱巨的計劃。她在致力於文華書院藏書室建設的同時，發現「在全中國沒有一所可以正確地稱為公共圖書館的設施」，使她產生了發展

中國公共圖書館的念頭，建立「一所不僅供學生用也供
大眾用的圖書館」。

　　1906 年文華書院開始準備擴建成大學，於是韋棣
華親自策劃，向學校建議建立一所圖書館。這年年底，
在她闊別七年之後，首次返回美國，開始長達 18 個月
的準備工作。返美後，韋棣華進入紐約布魯克林的普
拉特學院圖書館學校（Pratt Institute Library School in
Brooklyn, New York）進一步學習深造，同時四處演
講，尋求資助。

　　她抵達美國不久，即在 The Spirit of Missions 雜誌
1907 年 1 月號上發表了《為中國中部建立一所基督教的
圖書館》（*A Christian Library for Central China*）一文，
發出請求：「使我們的夢想得以成為現實，在華中地區
出現一所基督教圖書館」。文中她除了指出建立這座圖
書館的必要性和迫切性之外，還具體地提出了建立這所
圖書館的規模和所需的款項，即建造一所供公眾用，也
供學院用的圖書館，其造價約為 15000 美元，以「解決
這個古老民族的圖書館饑荒」。同年 5 月她又在美國圖
書館協會（ALA）第 29 屆年會上宣讀了《一個中國城
市的圖書館工作》（*Library Work in A Chinese City*）的
論文，介紹了她在武昌的圖書館工作的情況，第一次將

中國圖書館情況向美國圖書館界作了介紹，並闡述了在中國創設圖書館的必要性和可行性。

在她的努力下，此行大約獲得了一萬美元的捐款和大量贈書。她於 1908 年夏返回武昌，並隨船將個人用品悉數運來中國，從此定居中國。她來到中國時只有30 多歲，沒有結婚，直到 71 歲在武昌去世，將後半生全部貢獻給了中國的圖書館事業。

韋棣華回到中國後便開始新圖書館建築的籌劃和建造。圖書館於 1910 年春落成，正式取名為文華公書林。有學者指出，「公書林」這一名稱非常漂亮得當，相比「圖書館」，更能夠準確地表達 library 一詞的確切含義，更能體現出現代圖書館的精神。很可惜這一名稱沒有傳播開來。

文華公書林的落成是中國圖書館事業發展史上具有轟動性的一件大事。這座頗為壯觀的「崇樓傑閣」，號稱「十萬元之建築，三萬冊之圖書」。同時，它還是我國最早按美國圖書館模式建成的一所開放式的圖書館，也是我國第一座真正意義上的公共圖書館。在韋棣華的倡導下，文華公書林不僅是大學的圖書館，還對武漢三鎮的各界民眾開放，被蔡元培譽為「彌孚眾生」。韋棣華本人非常堅持文華公書林的公共圖書館屬性，反對

文華大學公書林

它為文華書院（後改稱文華大學校，Boone University）
所私有。直到她逝世前於 1930 年 12 月 10 日所立的四
項遺囑中，第一項便強調文華公書林「必須保持獨立，
為民眾服務」，不能僅作為大學的圖書館。

　　韋棣華對中國圖書館事業發展的貢獻是多方面的，
不僅僅限於文華公書林。1920 年，她和她的學生沈祖
榮、胡慶生一起創辦了「文華圖書館學專科學校」，簡
稱「文華圖專」，開創了中國圖書館學教育的先河。文
華圖專是武漢大學圖書館學系的前身，後改稱武漢大
學圖書情報學院、武漢大學信息管理學院，是我國歷史
最悠久、規模最大的圖書館學教育與研究機構。韋棣華

還積極參與了「庚子賠款」處置工作。為使這筆款項能夠用於中國的教育文化事業，她聯絡中國二百多社會名流向美國和中國的政府呼籲，還到美國游說了二百多名國會議員，使美國國會通過議案，規定退還的「庚子賠款」三分之一用於文化教育。現在國家圖書館位於北海文津街的館舍就是用這筆款項建造的。韋棣華還積極推動中華圖書館協會的建立，並使中華圖書館協會成為國際圖書館協會聯合會（簡稱國際圖聯，IFLA）的發起國之一。1927 年，在英國圖書館協會成立 50 周年慶祝大會上，韋棣華代表中國圖書館協會簽字，與美國、英國等十四個國家圖書館協會的代表共同創建了國際圖聯。

1930 年，全國各地圖書館界開始籌辦一個活動，紀念韋棣華來華三十周年，文華公書林建成二十周年和創辦文華圖專十周年。就在這一活動即將開始的時候，韋棣華因癌症而一病不起，活動被迫推遲到第二年 5 月。就在第二年臨近活動開始的前五天，韋棣華去世了。

在韋棣華的生前與身後，文華公書林經歷了輝煌而又曲折的發展道路。

文華公書林建成後，韋棣華自任總經理，委派她的學生沈祖榮做協理，後來胡慶生也參加了公書林的工作。沈祖榮、胡慶生後來都曾赴美國學習圖書館學，成

為中國第一代圖書館學家，也是現代圖書館學教育的開
創者。

　　當時的公眾對圖書館這一新生事物都比較陌生，
沒有利用圖書館的意識，學生也缺乏在圖書館精心研求
的習慣。文華公書林就想盡辦法吸引讀者，在校內外開
展各種宣傳活動，號召人們前來利用，並給來館借閱者
以周到的服務。在館內實行開架借閱，讓讀者直接在書
架上尋求書籍。這不但在當時的中國沒有先例，即使在
歐美也只有少數圖書館試行。於是來館讀者日見增多，
公書林的影響也開始影響到武漢三鎮。由於三鎮範圍廣
大，兩江分割，許多讀者不方便直接來館借閱，於是又
先後在聖邁克爾教堂（St. Michel's Church）和三一教
堂（Trinity Church）設立閱覽室。前者主要供該教區民
眾、士兵和學生使用，後者主要供商人、店員使用，方
便了人們就近閱覽。1914 年又進一步建立「巡迴文庫」
制度，將各種書籍，每箱 50～100 冊，裝箱分送到各個
學校，機關、工廠陳列，就近閱覽，並定期交換。同時
還舉辦各種演講會、音樂會、戲劇表演等活動，擴大影
響。採取這些措施後，文華公書林遂名播武漢三鎮，影
響遍及全國。

　　對於韋棣華等人的這種先進的圖書館服務理念和措

施，當時並非所有的人都能接納，尤其是文華大學校方難以接受。以致文華大學校長翟雅各去世時（1918 年逝於江西九江），遺命將其藏書贈上海聖約翰大學圖書館，而未贈予文華公書林，足見其成見之深。

1920 年初，韋棣華、沈祖榮、胡慶生三人又開始醞釀和籌備文華公書林的擴充計劃，分別向國內外籌款。1922 年 1 月，擴充改造工程竣工，文華公書林比原來擴大了三分之一。

至全面抗戰爆發前，文華公書林的中外藏書已達 44560 冊，其中中文書籍為 11300 冊，外文（主要為英文）書籍 33260 冊。此外還建有若干特藏，其中「韋氏參考書專藏」「羅公瑟士紀念室西文漢學專藏」以及「孫公紀念室商學專藏」等，這在遠東地區是獨一無二的。而圖書館學方面的中外文書刊最為豐富齊全，在國內也是絕無僅有的。

全面抗戰爆發後，1938 年武漢淪陷，曾經輝煌一時的文華公書林藏書損失殆盡，先進的設備被掠奪一空，上千件的博物收藏也不知去向。

抗戰勝利後，該建築雖然倖存，但已敗壞不堪。復原後，又為先期遷回武昌的華中大學所佔用。文華公書林從此失去了其公共圖書館的職能，文華圖專也失去了

這塊教學和實習的基地。

中華人民共和國成立後，華中大學改組為華中師範學院，20世紀50年代後期，華中師院從曇華林遷出，原址遂移交給湖北中醫學院。文華公書林雖然曾一度被列為武漢市的歷史保護建築，卻在1987年前後建中醫學院研究生宿舍時，按「危房標準」拆除。1998年武漢市房地局還把一塊作為「二級保護建築」的文華公書林銅牌，張冠李戴地嵌在不相干的另一座建築上，這座建築最後也被拆除了。一代名館，就這樣煙消雲散，留下了無處憑弔的永遠遺憾。

5 涵芬樓及東方圖書館

清末民初是現代圖書館事業創立和迅速發展的時代，官辦圖書館成為主流。但這一時期私人及團體興辦的圖書館也佔有一席之地，如梁啟超發起的為紀念蔡鍔（松坡）建立的松坡圖書館，黃炎培等人建立的鴻英圖書館，上海總商會圖書館，中華書局圖書館等，都曾名重一時。其中最負盛名的是上海商務印書館涵芬樓及東方圖書館。

涵芬樓的創辦者是著名現代出版家張元濟（1867～1959）。張元濟字筱齋，號菊生，浙江海鹽人。出身於書香門第，藏書世家，他的祖上是海鹽藏書、刻書名家，「涉園」的創始人張奇齡，至張元濟已經十代。張元濟是光緒十八年（1892）進士，曾任總理各國事務衙門章京。因積極參與戊戌變法活動，失敗後被革職。1902年加入商務印書館，不久後任新籌建的編譯所所長。1916年任商務印書館經理，1920～1926年改任監理，1926年任董事長直至逝世。1949年出席中國人民政治協商會議，是第一、二屆全國人大代表，上海文史館館長。

從1904年開始，張元濟着手籌建商務印書館圖書館，取名涵芬樓。其初衷是為研究著譯提供參考，滿足編譯所的工作需要，並為影印出版古籍準備底本。

1906年，浙江歸安陸氏皕宋樓藏書出讓。皕宋樓是陸心源所創，晚清著名四大藏書樓之一。張元濟聞之，立即與陸氏後人聯繫，願意以八萬元收購。但最後陸氏卻以十萬元之價賣與日本財閥岩崎氏，令張元濟痛心疾首。

此次阻止皕宋樓藏書外流的失敗，激發了張元濟搜求書籍、搶救國故的決心。在其後的幾年間，涵芬樓

陸續蒐集了紹興徐氏、長州蔣氏、太倉顧氏、清宗室盛氏、豐順丁氏、江陰繆氏等諸多藏書大家出讓或散出的圖籍，藏書日漸豐富。至民國初年，涵芬樓已經富甲一方，成為稱盛一時的著名圖書館。據統計，涵芬樓此時匯集了宋本 129 種 2514 冊，元本 179 種 3124 冊，明本 1419 種 15833 冊，清代精刻 138 種 3037 冊。此外還有抄本 1460 種 7712 冊，名人批校本 288 種 2126 冊，稿本 71 種 354 冊。共計有經部 354 種 2973 冊，史部 1117 種 11820 冊，子部 1000 種 9555 冊，集部 1274 種 10735 冊。這樣的規模與質量，雖不能及陸心源的皕宋樓，但也大大超過了黃巫烈的著名藏書樓「百宋一廛」所藏。

張元濟在不遺餘力收集古籍善本的同時，還慧眼獨具，對於當時不為一般藏書家所重視的地方志文獻，也有意識地加以收集。他認為，傳統上的地方志雖不列入善本但其間珍貴之記述，要比善本猶重。在清末時，地方志普遍沒有人買，只有日本人買。書舖以「羅」論價，一元錢一「羅」。所謂一「羅」，就是把書堆起來有一手杖高。即使是少見的善本志書，因為無人過問，價錢也很便宜。張元濟不忍看着大批方志流入東土，加之商務印書館當時要編纂各種歷史、人名、地名等大型辭書，需要這些各地方志文獻以供參考。因此，涵芬樓

很快就蒐集了各地各個時期的地方志 2600 餘種 25800
餘冊，包括元本 2 種、明本 39 種、清代及民國時期刊
2524 種，其中不乏海內孤本。涵芬樓因此成為當時收
藏地方志文獻僅次於國立北平圖書館和故宮博物院圖書
館的收藏機構，居全國第三位。

　　由於涵芬樓要滿足商務印書館編譯人員查檢資料所
需，故藏書除大量善本古籍和豐富的地方志文獻外，還
有晚清以來我國各地出版的各種報紙雜誌。其中完整收
藏的報紙有上海的《時報》《神舟日報》《民國日報》，
天津的《大公報》《益世報》。雜誌則更多，如《新民
叢報》《國聞周報》，以及商務印書館自己出版的《東
方雜誌》《繡像小說》《小說月報》等。此外還有外文原
版圖書兩萬餘冊，其中有 15 世紀前出版的歐洲古籍多
種。這樣的收藏在當時十分稀見。

　　如同歷代許多有成就的藏書家一樣，張元濟信奉
「藏書不如刻書」。在他的主持下，商務印書館整理校
勘出版了許多對後世影響很大的古跡叢書，如《涵芬樓
祕笈》《四部叢刊》《續古逸叢書》《百衲本二十四史》《叢
書集成初編》《續藏經》《正統道藏》《學海類編》《四庫
全書珍本外集》《選印宛委別藏四十種》等多種大型古
籍叢書，對現代學術文化研究起到了重要作用。

　　在 1921 年為紀念商務印書館創立 25 周年之時，張元濟提議創辦公共圖書館。商務印書館遂出資在上海寶山路商務總廠對面建造了四層樓鋼筋混凝土大樓，將涵芬樓藏書移入，又增添報刊、商務版圖書等閱覽室，定名為東方圖書館，王雲五任館長。1926 年 5 月 3 日，正值紀念商務印書館建館 30 周年之際，東方圖書館正式開館對公眾開放。在新館三樓，專辟一室儲藏善本，仍用舊稱涵芬樓。1928 年又增設兒童圖書館。1929 年設置流通部，採購新書數萬冊，讀者繳納保證金後，均可憑證借書。

　　東方圖書館是當時最大的私立圖書館。新館落成時藏書已有 20 餘萬冊。至 1931 年，已有藏書 502765 冊，其中中文圖書約 40 萬冊，善本書 3745 種 35083 冊。無論是藏書數量、質量，還是其先進的理念和辦館方針，都堪稱是當時全國首屈一指的圖書館之一，為社會文化和學術研究做出了卓越的貢獻。

　　令人深感憤慨的是，1932 年日本侵略軍在上海發動「一‧二八」事變，淞滬抗戰爆發，日軍轟炸機向商務印書館投下六枚炸彈，總廠被炸燬，日本浪人又潛入東方圖書館縱火，使這座著名圖書館一夜間全部化為灰燼。時人曾這樣描述：是時濃煙遮蔽上海半空，紙灰

東方圖書館

飄飛十里之外，火熄滅後，紙灰沒膝，五層大樓成了空殼，其狀慘不忍睹。張元濟與同仁們抱頭痛哭：「連日勘視總廠，可謂百不存一，東方圖書館竟片紙不存，最為痛心！工廠、機器、設備都可以重修，唯獨我數十年辛勤收集的幾十萬書籍，今日燬於敵人炮火，是無從復得，從此在地球上消失了。」這是我國文化史上的一場罕見的浩劫，從此輝煌一時的涵芬樓及東方圖書館不復現於後世。

後來披露的史料證明，日軍對全國最大的文化機關商務印書館的轟炸完全是有預謀的、有針對性的。當時的侵華日軍海軍陸戰隊司令鹽澤幸一就曾直言不諱

地說：「炸燬閘北幾條街，一年半就可恢復，只有把商務印書館、東方圖書館這個中國最重要的文化機關焚燬了，它則永遠不能恢復。」其狼子野心昭然於世。

永遠留存史冊的是涵芬樓、東方圖書館及其創始人張元濟的精神和業績。正如張元濟晚年書寫的一副對聯所闡述：「數百年舊家無非積德，第一件好事還是讀書。」這恰是作者一生追求的寫照。

為紀念張元濟對文化、出版和圖書館事業的貢獻，1987年在浙江海鹽建立了「張元濟圖書館」。陳雲題寫館名，紀念室中擺放着漢白玉的張元濟半身雕像。圖書館中保存有張元濟的著作、手稿和生平事跡資料，還有商務印書館版本閱覽室，保存和陳列商務印書館近百年來的出版物，現共有版本6000多種、一萬餘冊，包括北京、香港、台灣等地的商務印書館贈送的大量圖書。

6 燕京大學圖書館

恰如上文所介紹，教會圖書館在中國現代圖書館的發展史上曾起到過至關重要的作用。如果專就教育領域

看，教會大學及其圖書館在中國的出現和發展，有着一個複雜曲折的歷史過程，在我國現代教育史及圖書館事業史上佔有一席之地：我國最早的新式學校是 1839 年傳教士在澳門開辦的馬禮遜學堂，第一所大學圖書館是 1888 年聖公會創辦的聖約翰大學圖書館，第一所圖書館教育專科學校是與教會關係甚深的韋棣華在 1920 年創辦的武昌文華圖專。

　　大體說來，在 19 世紀末，教會大學的目的只是為了傳教，宣揚教義的福音書是其主要的課程，大多數教會大學的圖書館收藏也以西文書、宗教書為主。五四運動之後，中國知識分子的民族意識和愛國熱情不斷高漲，逐漸形成了針對各種教會學校的收回教育權運動。教會學校面對形勢的變化和中國民族主義的挑戰，為生存計，採取了「中國化」的方針，如接受中國政府的註冊和管理，取消硬性的宗教崇拜和宗教課程，學校的最高行政職務由中國人擔任等。這時的教會學校圖書館也開始大量收藏中國書籍，有的在文史古籍方面甚至超過了國內其他類型的大學圖書館。在這場變革之後，教會學校及其圖書館雖然仍保存了自身的一些特點，但與其他大學及其圖書館的界線已變得不甚明顯了。

　　中國教會學校這種發展變化的軌跡，集中地體現在

了燕京大學身上。燕京大學的創始人和主辦者是司徒雷登（John Leighton Stuart, 1876～1962）。司徒雷登出生於杭州，父母均為美國在華傳教士。司徒雷登1904年開始在中國傳教，曾參加建立杭州育英書院（即後來的之江大學）。1919年起任燕京大學校長、校務長。1946年任美國駐華大使，1949年8月離開中國。1962年逝於美國華盛頓。

燕京大學在1919年成立後，早期的課程偏重於宗教和西學，教員也以外國人為主。20年代起，在司徒雷登的主持下，燕京大學率先進行了「中國化」的變革。1926年建成的古色古香充滿中國傳統建築格調的新校園，就絕妙地體現出司徒雷登等燕京大學決策者的指導思想：寓西於中，中西結合，注重保留中國的文化傳統。燕大首倡廢除宗教必修科目和公共禮拜儀式，注重中國文史課程，聘請了許多著名的國學大師為教員，還積極參與建立了鼓勵中國文史研究的「哈佛燕京學社」及其圖書館。

正如時人所說，在司徒雷登的努力下，燕京大學在形式和精神上都已成為「真正的中國學校」。燕大也因此而成為中國教會學校中聲譽卓著的佼佼者。燕京大學雲集了當時的一批大師，陳寅恪、鄭振鐸、周作人、錢

玄同、許地山、費孝通、郭紹虞、鄧之誠、顧頡剛、張友漁、容庚、錢穆、吳文藻等都曾在燕京大學任教。在1941年太平洋戰爭爆發後燕大曾南遷成都，抗戰勝利後回北平復校，1952年院系調整時與北京大學合併，燕京大學前後凡33年。在如此短暫的時間裏，其間還受到日本侵華戰爭的嚴重干擾，註冊學生總共不超過一萬名，卻為中國培育了一大批高水平的人才，很多是各個領域的領軍人物。其中中國科學院院士42人，中國工程院院士11人，其他卓有成績者不計其數，可說是科學家的搖籃。「二戰」時，中國駐世界各大城市的新聞特派員，十分之九是燕京大學新聞系的畢業生。

1931年，燕京大學校園內。博雅塔、鐘亭、小山、雪

　　燕京大學圖書館發展的歷程，可以看作是中國教會大學圖書館的一個縮影，也是中國現代圖書館尤其是現代大學圖書館發展史上的一個重要組成部分。

　　與燕京大學相同，燕京大學圖書館成立於1919年，結束於1952年。其間33年的歷史可以大體劃分為四個階段。

　　第一階段從1919～1925年，可稱為初創時期。燕大圖書館與燕京大學同時成立，館舍在盔甲廠。初時只有一間房舍，二百冊藏書。這一時期燕大圖書館的發展極為緩慢，至1925年館舍只有三間房屋，藏書13000冊，而其中的西文藏書幾乎比中文藏書多一倍。

　　第二階段以1926年新館舍落成為標誌，可稱為鼎盛時期。

　　新館館舍位於燕大男女兩校的中央，是一座仿文淵閣的中式風格建築。館舍地上三層，地下一層。第一、第二層為讀者服務區，主要有出納處、目錄廳、閱覽室、研究室等，可容納讀者三百餘人。第三層為書庫，內又分二層，可貯書約三十萬冊。地下則用作儲藏室。1935年館舍曾做了改建，擴大了使用的面積。根據燕京大學的慣側，建築物多以捐助者的姓氏命名，因此圖書館又以其捐助者伯利夫婦之名而稱為伯利紀念館

（Berry Memoria1）。當時國內具備如此館舍條件的圖書館尚不多見。

這一時期燕大管理圖書館事務的機構稱「大學圖書館委員會」，下設各種專門委員會，如中文書籍審購委員會、西文日文東方學書籍審購委員會、學系圖書室問題委員會、學校書款分配委員會、普通西文書籍審購委員會等。大學圖書館委員會的委員由圖書館主任和校內一些有名望的教授組成，如洪業、陳垣、馬鑒等都曾任此職。圖書館中設主任一人，下有六部十三股的機構，形成了較為完善的管理體系，館內的工作人員也由1926 年的十餘人發展到三十多人。

除司徒雷登外，對於燕大圖書館的發展和鼎盛貢獻最大的是洪業和田洪都。洪業，字鹿芩，號煨蓮，早年留學美國，回國後即在燕京大學任教，曾長期擔任大學圖書館委員會主席，並 1928 年間代理了一年的圖書館主任。在燕大圖書館的建設中，洪業起到了十分重要的作用。他主持制訂了一系列圖書館的規章制度，購置了大量的各科圖書，促進了燕大圖書館與美國哈佛大學圖書館的合作，為此，胡適曾說他是「享有殊榮」的人。田洪都，字京鎬，武昌文華圖專畢業，又赴美留學，在哥倫比亞大學圖書部任助理。田洪都於 1928 年接任

洪業代理圖書館主任，1931年又被正式聘為圖書館主任，直至1941年太平洋戰爭爆發。田氏作為燕大圖書館黃金時期的主要負責人，致力於改進和推動館內各項業務工作，為燕大圖書館的發展也做出了重要的貢獻。

館藏在此時期得到很大的發展。1926年遷入新館時，藏書尚不足三萬冊，至1941年燕大南遷時，館藏已達到三十萬冊之多，增長了約十倍。藏書的結構也發生了很大的變化，中文圖書的比例大幅度上升，1926年中文書已是西文書的六倍之多。在西文書中，其他社會科學類圖書的比例也遠遠超過了宗教類圖書，兩者所佔的百分比分別為21.82%和13.57%。從館藏結構的變化上，可以看出燕京大學辦學重點的轉移和教會大學方針的變化。

藏書的發展主要得力於購書經費的充裕。燕大圖書館購書費主要有四個來源：學校撥發的經常費，哈佛燕京學社圖書費，法學院各學系的圖書費，臨時捐助的特別圖書費。其中最為重要的是1928年成立的哈佛燕京學社為燕大圖書館提供的購書費，凡屬重要的中文大部典籍和與中國問題相關的西文書，都從該項經費下開支，使燕大圖書館的藏書發展有了基本的保障。

此外，這一時期燕大圖書館的管理方法、分編工

作、讀者工作和業務研究等都有了長足的進展。燕大圖
書館在此期間的發展和進步，使其後來者居上，一躍而
居於國內先進大學圖書館的行列。

　　第三階段從 1941 年太平洋戰爭爆發開始，可以稱
為動盪時期。

　　太平洋戰爭的爆發，使燕京大學最終未能躲過戰爭
的衝擊。為生存計，燕大被迫輾轉南遷，於 1942 年在
成都建校。燕大圖書館的藏書未及撤出，全部落入侵華
日軍之手。四年間，燕大圖書館的損失慘重，據 1946
年復校後清點的結果，藏書損失達三萬冊，約佔館藏的

1945 年成都燕京大學畢業生合影

十分之一。

　　成都燕大圖書館的館舍在成都市陝西街，1942 年秋開館時僅有房舍一間，存書 525 冊，幾乎是白手起家，慘淡經營。戰時購書費拮据，又受通貨膨脹的影響，所購圖書只能以教科書為主。書刊按各系學生的比例進行分配，價格較貴的書刊由各系共同使用。國外報刊則委託駐外機構代為訂購並保管，以期戰後能有完整的收藏。為解決圖書缺少的困難，燕大圖書館一方面派館員帶領早期到達的學生到成都的大街小巷去逛書攤，選購基本參考書；另一方面與友校開展館際互借業務，共用圖書室。至 1946 年復校時，成都燕大圖書館藏書裝成 47 箱運至寶雞，因運費昂貴，這部分圖書大多就地轉讓了。

　　成都的燕大圖書館只有五名工作人員，主任一人，編目員和出納員各兩人。當時的圖書館主任是梁思莊。梁思莊（1908～1986）是梁啟超的次女，早年留學加拿大和美國，1936 年 8 月起在燕大圖書館工作，一直從事西文編目。在成都的四年間，梁思莊不畏艱辛，與同人們共度時艱，支撐了燕大圖書館的生存與發展。北大、燕大圖書館合併後，梁思莊長期擔任北京大學圖書館副館長職務。

　　第四階段從 1946 年燕大復校至 1952 年與北京大學
合併，可稱之為恢復和發展時期。1946 年 10 月，燕大
圖書館在原址恢復開放，逐漸恢復了舊有的規模，擴充
館藏。至 1951 年，館內工作人員已有三十八人，藏書
達到四十餘萬冊，有關設備也有所增添。

　　從圖書館發展的角度看，燕京大學圖書館的主要特
色在於其珍貴的藏書和獨具特色的業務工作。

　　燕大圖書館在戰前鼎盛時期，藏書曾達到三十餘
萬冊，在當時的大學圖書館中僅次於中山大學和北京
大學，居全國第三位。1952 年與北京大學圖書館合併
之前，藏書總數已達四十餘萬冊，另有未編書刊十八萬
冊，金石拓片一萬二千餘張，木刻書版兩千餘塊等。作
為一所私立大學圖書館，在短短幾十年中就擁有了如此
令人矚目的收藏，應該說是一個很了不起的成就。

　　燕大圖書館的藏書主要有以下三個來源。

　　1. 本館訂購。訂購的書刊要由專家審定，經圖書
館委員會批准，因此有較高的藏書質量。同時，圖書館
還鼓勵師生推薦優秀書刊，特地在校刊上公佈「介紹手
續」以便讀者與圖書館聯繫。

　　2. 哈佛燕京學社購贈。哈佛燕京學社成立後，曾向
燕大圖書館贈送了大量圖書，其中以中文古籍和西文東

方學圖書為主。據統計，燕大線裝書中99%都是用該學社的書款購買的。

3. 捐贈和交換。燕大圖書館十分注重徵集捐贈的書刊，有些捐贈還形成了重要的特藏，如貝施福主教（Bishop J.W. Bashford）所贈關於中國和東方文化的西文書，就奠定了館藏「東方學文庫」的基礎。圖書館還通過各種渠道進行呼籲宣傳，徵集國內外團體和個人的捐書，並設立了各種紀念獎勵辦法。同時，燕大圖書館還與國內外許多圖書館建立了交換關係，獲得了許多珍貴的書刊。

在短短幾十年的館藏建設中，燕大圖書館形成了一批獨具特色的專藏，較為重要的有：

── 東方學文庫。主要收藏西文書中研究中國及東方文化的著作，以貝施福主教贈書為基礎，常年注意添購，其中較珍貴的善本約有600種，1300多冊。據1938年的統計，燕大東方學文庫與《美國各圖書館藏西文東方學書籍選編聯合目錄》（A Union List of Selected Western Books on China in American Libraries）相比，僅缺四種，可見其質量之高。

── 善本書。對於中文古籍珍本刻意搜求，是燕大圖書館的一貫方針。與北大圖書館合併時，燕大館藏善

本已達 3578 種，37484 冊，其中有宋、元版古書和大量明、清的刻本、鈔本，有很高的版本價值。日文、西文圖書中也有不少精善刊本的館藏。

——古籍叢書。燕大圖書館的各種文史叢書都有完整配套的收藏，是國內圖書館中該類圖書收藏最豐富的圖書館之一。

——書目索引和工具書。這類圖書共有 2347 種，17944 冊，包括了當時出版的該類圖書的大部分品種。

——畢業論文。自 1932 年起開始收藏各屆畢業生的畢業論文，共有 2466 冊。

除藏書外，燕大圖書館的各項業務工作還有很多獨到之處。

中文圖書分編最先採用《杜威十進分類法》。為適應中文圖書的特點，燕大圖書館「將杜威十進分類法內不常用而便於伸縮之類，改為中國書籍之用，以應急需」，如 000 用為經類，080 用於叢書類，150 為子部其他種類等。1930 年，圖書館主任田洪都赴美考查，與哈佛大學圖書館的裘開明探討了採用統一分類法的問題。從 1931 年起，燕大圖書館正式採用裘開明編製的《漢和圖書分類法》分編中日文圖書，並一直沿用至終。這部分類法以中法為經、西法為緯，大綱則根據

荀勖《中經新簿》及張之洞《書目答問》的體系，別立叢書部，擴充為九大類，是當時編製較為完善的一部分類法。書次號則是依據王雲五的四角號碼編製的著者號。

西文編目一直採用《杜威十進分類法》，對個別類目做了一些變革。燕大西文書號由三行構成，第一行為杜威法分類號，第二行是依克特著者號碼表編製出的著者號，第三行為作品類別的字母代號。這個傳統在1952年院系調整後被北京大學圖書館繼續沿用。

中西文目錄均採用單元卡片制。中文目錄有著者、書名、分類三種，分別排列。同時製作參考片和分析片。西文目錄也有書名、著者、分類三種，另編一套主題片，均按字典式排列。其中最有特色的是西文主題目錄，這套目錄根據美國國會圖書館主題詞表標引，製作十分嚴謹，一向為國內圖書館界所稱道。北京大學圖書館現存的一套西文主題目錄就是在此基礎上發展而來的。

雜誌的分編始於1937年，亦依裘氏分類法，1940年大體分編就緒。報紙沒有分類，依刊名筆畫設順序號。

燕大圖書館對讀者服務工作也很重視，其中的指定參考書工作很有特色。指定參考書一般根據各系教員提供的書單特別配置，並為之開設了專門的出納

處。出納處有參考書目板，板上依教員姓氏的字母順序展示本學期的教員指定參考書，這類圖書的借閱以兩小時為限，只可在館內閱覽，閉館前可辦理一夜出借的手續，第二日開館後歸還。從 1939～1940 年的統計情況看，總出納台借書有 61432 冊次，而指定參考書的出納量則達 245963 冊次，可見這項工作的高效率和作用。

　　燕大圖書館還十分注重圖書館業務的研究。從 1931 年 1 月 15 日起，燕大圖書館開始出版《燕京大學圖書館學報》（*Yenching University Library Bulletin*），雙周刊，每期 16 開十頁左右，主要刊登新書目錄、新書評介和圖書館學、目錄學方面的研究文章。學報共出版了 134 期，1939 年 8 月停刊。此外，燕大圖書館還積極開展出版活動，刊行的書籍多種多樣，其中中式線裝書尤為精緻，多為明清著作中的罕見版本。

7　西南聯大圖書館

　　1937 年 7 月，盧溝橋事變發生，抗日戰爭全面爆發，平津相繼陷落。北京大學、清華大學、南開大學三

校的圖書館由此開始了一場萬里大遷徙。

　　三校南遷到長沙後，成立了長沙臨時大學，從中英庚款董事會的補助中撥款五萬元，籌劃組建圖書館。由於北大的圖書全部淪陷，清華、南開兩校的圖書也未及運到，便與遷來長沙的北平圖書館和中央研究院史語所合作，組成了臨時大學圖書館，由北平圖書館館長袁同禮出任館長。臨時大學圖書館成立後，由臨時大學與北平圖書館各出五萬元購書費，即刻着手購置圖書。由於戰時交通不便，外地及國外的圖書很難運到，臨大圖書館便在長沙各書肆中採買，主要添置與教學直接相關的普通參考書。經過三個月的慘淡經營，臨大圖書館有了中文書六千冊，西文書二千冊，勉力支撐着教學之需。為了應付教學的急需，臨大圖書館還與湖南國貨陳列館圖書室簽訂了借閱圖書的辦法，以解燃眉之急。

　　臨時大學圖書館只維持了幾個月的時間。1937 年年底，南京陷落，武漢危機，局勢驟然緊張起來。1937 年 12 月，臨時大學常務委員會做出了「本校圖書儀器暫緩購置」的決議。1938 年 1 月，臨時大學奉命遷往昆明。圖書館的全部圖書及商借的北平圖書館和中央研究院的圖書，共裝了四百餘箱，經粵漢路運至廣州，再取道香港至越南海防，從滇越路進入雲南，經歷了千難

萬險，歷時三月，終於在三四月間陸續運抵昆明。

　　1938 年 4 月，臨時大學全部遷至昆明，正式更名為國立西南聯合大學，簡稱西南聯大，圖書館也定名為國立西南聯大圖書館。西南聯大圖書館成立後，由於藏書缺乏，起初仍與北平圖書館和中央研究院保持着合作的關係，調借了大量北平圖書館和中央研究院的圖書。在人事安排上，借用了北平圖書館的人員，聘請北平圖書館館長袁同禮為圖書館館長，由原北大圖書館館長嚴文郁為圖書館主任。在袁同禮未到任之前，嚴文郁代理館長職務。這種局面一直維持了半年多的時間。1938 年年底，北平圖書館在昆明設立了辦事處，調走了西南聯大圖書館借用的人員和除西文期刊之外的大部分圖書，袁同禮辭去了兼任的館長職務，中央研究院也陸續調回寄存在西南聯大圖書館的大部圖書。這時，西南聯大圖書館已經先後購置了一些書刊，清華、南開的圖書也部分運到了昆明，於是便對圖書館進行改組，任命嚴文郁為圖書館館長，董明道為圖書館副館長，走上了獨立發展的道路。

　　初到昆明時，學校沒有固定和集中的校舍，因此西南聯大圖書館也幾經變動搬遷。總館的館址起初設在昆華中學南院原圖書館，另在昆華農校左翼大樓一層設立

西南聯大圖書館

分館。後經調整，總館改在昆華農校禮堂，分館則設在拓東路迤西會館正殿中，同時設三個閱覽室，第一閱覽室在昆華農校飯廳，第二閱覽室在昆華中學南院第五、六教室，第三閱覽室在迤西會館望蒼樓。在西南聯大的蒙自分校，也設立了分館一所，館址在法國領事署，半年後蒙自分校取消，分校圖書館的圖書也裝成三百餘箱運到了昆明。直至 1939 年夏，西南聯大在昆明大西門外的新校舍落成，圖書館才有了固定的專用館舍，結束了到處打游擊的局面。

　　新圖書館館址位於新校舍北區的中央，是一座丁字形的瓦頂平房，前部是一間能容納八百人的大閱覽室，即第一閱覽室，後部是一座可容書十萬冊的書庫，另有

期刊閱覽室一間，期刊庫一座，辦公室四間。另外，在拓東路迤西會館的工學院中，將會館的大殿改造為可容四百人的閱覽室，是為第二閱覽室；新校舍南區的理學院有專門的期刊閱覽室，可容八十人，是為第三閱覽室；位於新校舍附近的師範學院有一間可容二百人的閱覽室，為第四閱覽室。自此，西南聯大圖書館才規模初具，基本定形，當時的圖書館館長嚴文郁曾形容為「雖屬簡樸，而宏敞可喜」。西南聯大圖書館為時八年的歷程，大部是在這座簡陋的館舍中度過的。「茅屋草舍育英才」，對於西南聯大圖書館，師生們至今仍保留着親切溫馨的記憶。

　　儘管有了新的館舍，但西南聯大圖書館的條件仍是十分艱苦的。每到昆明的雨季，簡陋的館舍就會漏雨，許多學生只好打着雨傘看書。西南聯大的學生大多數是流亡學生，無錢買書，讀書考試只能依靠圖書館，而圖書館的座位和參考書又不敷使用，因此學生們每天都要到圖書館「搶位子，搶燈光、搶參考書」，借書處也要排長隊。圖書館開門之前，門前總要黑壓壓擠了一大片學生，致使當地人誤以為是在搶購電影票。

　　學生們在圖書館找不到座位，就只好到街市上的茶館裏去看書，於是校舍附近的許多茶館便應運而生。當

年的聯大學生、著名作家汪曾祺就曾戲稱為「茶館出人
才」。他回憶說:「聯大圖書館座位不多,宿舍裏沒有
桌凳,看書多半在茶館裏。聯大同學上茶館很少不挾着
一本乃至幾本書的。不少人的論文、讀書報告,都是在
茶館寫的。」昆明街頭的大小茶館,竟成了西南聯大圖
書為數眾多的「分館」。

　　生活、學習條件之艱苦,不僅僅限於學生,西南
聯大的教師和職工都是在艱難困苦的條件下生活和辦
學的。據核計,1943年聯大教授每月的薪金已由戰前
三百多元降至實值僅合戰前的八元三角,只能維持全家
半個月的最低生活,一般職工的生活更是無法維持,人
稱「十儒九丐,啼飢號寒」。但師生們大多都能同甘共
苦,共度時艱。聯大圖書館館長嚴文郁曾回憶過當時的
一段往事:

　　……對日抗戰最艱苦的時期,在昆明將積蓄貼得
一乾二淨,收入不敷維持五口之家。經前輩戴志騫先生
介紹到中國銀行昆明分行兼一半日差事。與經理鄰室辦
公,談得頗為投機,不到半月,他勸我脫離聯大,在行
中充外匯部副主任。盛情可感,至今難忘。我鑒於兼事
乃救一時之急,改行則關係前程,於是商之聯大校委蔣

夢麟先生。蔣先生說:「銀行待遇太好,必如戴先生一去不復返。目前雖受盡熬煎,勝利終屬我們,為了錢而犧牲你在圖書館的成績,未免可惜,值得考慮。至於生活問題我們在校內設法,略予改善,以期渡過難關。」我聽此言,大為感動。第二天到銀行向經理婉言謝卻,連兼職一併辭掉了。從此安心工作。

身為圖書館館長,生活狀況尚且如此,圖書館一般職工就可想而知了。而他們不避艱難困苦,懷着「多難殷憂新國運,動心忍性希前哲」的愛國精神,勉力支撐着風雨飄搖的西南聯大圖書館,則成為一段可欽可敬的佳話。

西南聯大時期,圖書館的購書經費也處於極大的困境之中。西南聯大成立後,每年的預算僅及抗戰前清華一校的經費額,還要受政府拖延撥發和貨幣不斷貶值的影響。在這種困難局面下,西南聯大只能到處求助或借債度日,因此圖書館只能得到少得可憐的一點購書經費。據記載,1938年每月的購書預算僅為4300元,實際得到只有1868元;1939年每月購書預算僅為5966元,實際得到只有2982元。從數額上看,聯大圖書館的購書費僅及原北大圖書館的三分之一,而且由於貨幣

的大幅度貶值，實際的購書費買不了幾本書刊。直到1941 年，教育部才撥給西南聯大美金三萬八千元作為設備費，其中圖書費約佔 21400 元，此外「世界學生救濟會」還捐贈給圖書館七八千元法幣用於買書。雖然有了少量的經費，圖書館卻很難買到書，上海、武漢失陷後，滇越鐵路中斷，內地圖書訂購變得十分困難；特別是太平洋戰爭爆發以後，滇緬公路已不通，國外購書的渠道也告中斷，已經訂購的一批圖書也在運輸中遺失。西南聯大圖書館只能憑着少量的經費，在昆明各舊書肆中尋覓選購教學用書，真可謂艱難備至。

除了生活和工作上的種種艱辛外，敵機經常來昆明轟炸，也給西南聯大圖書館帶來了種種困難。空襲警報一響，圖書館就要攜帶貴重圖書和讀者一起到山溝裏隱蔽，警報解除後還要盡快恢復開放。為避轟炸，除必要的參考書外，大部分圖書都要存放在鄉間。1941 年 8月 14 日中午，日寇出動轟炸機 27 架，以西南聯大圖書館為目標轟炸，投彈數十枚，致使書庫北部中彈倒塌，閱覽室的屋頂和門窗震壞，並引起火災。經奮力滅火和搶救，幸未造成大損失，圖書被燬僅二三百冊，但閱覽室的雜誌和報紙卻因水淹土壓而全部報廢，館中設備也大部損壞。經奮力搶救，轟炸後僅一個月圖書館便修復開放。

　　在這樣的艱苦條件下，西南聯大圖書館非但沒有被壓垮，反而在困境和硝煙中成長壯大，成為一所頗具規模的戰時大學圖書館，出色地完成了它的使命。正如嚴文郁館長在 1941 年所說：「本館於此狂風暴雨之中，誕生，洗煉，茁壯！」西南聯大圖書館創造了中國圖書館史上的一個奇跡。

　　抗戰勝利之後，西南聯大於 1946 年 5 月宣告結束，北大、清華、南開先後在平津復校。「聯合竟，使命徹。神京復，還燕碣。」西南聯大圖書館所藏的圖書，部分留交昆明師範學院，其餘裝箱北運，在學校圖書遷運委員會的籌劃下，於 1946 年 4 月運往平津。至此，西南聯大圖書館結束了為期八年「笳吹弦誦在春城」的歷史，在中國圖書館的歷史上留下了永遠令人難忘的一頁。

六、大師名家

1 文獻編纂

胡適說過:「圖書館的中心問題,是要懂得書。圖書館學中的檢字方法、分類方法、管理方法,比較起來是很容易的,一個星期學,幾個星期練習,就可以畢業。但是必定要懂得書,才可以說是圖書館專家。」此言切中要害,因為文獻是一切學問的基礎,更是圖書館和圖書館學的基礎。

中國古代的文獻編纂有着悠久的歷史傳統。在現代圖書館學研究範疇中,這門學問常常被稱為文獻學或目錄學,古代亦稱校讎之學,通俗講就是「治書之學」。

從現有材料看,古代文獻學的開山者和奠基人應首推西漢末年的劉向、劉歆父子。

劉向（公元前79～前8年），原名更生，字子政。
他是漢帝劉氏宗親，漢成帝時官光祿大夫。河平三年
（公元前26年），漢成帝詔令一些大學者到皇家圖書館
天祿閣、石渠閣校書。劉向為校書的總負責，還要為每
種整理完的書籍寫一篇敘錄。這些敘錄不僅釐定篇目，
記述校讎，而且還介紹作者，評述書旨等。後來劉向把
這些敘錄彙集一起編為《別錄》。綏和元年（公元前8
年）劉向去世，終年72歲。他從54歲開始校書，前後
共歷18年。

劉向去世後，朝廷又命一直輔助父親校書的劉向之
子劉歆（約公元前53～公元23）繼承其業。劉歆在《別
錄》的基礎上編出了一部皇家藏書的分類目錄《七略》。
《七略》在文獻學歷史上具有開創性的重要意義，成為
後世文獻整理的圭臬。《別錄》《七略》唐人著述猶有徵
引，宋後則不復見。但《漢書·藝文志》是以《七略》
為底本編出來的，我們從中可以了解《七略》的大致
面貌。

劉向、劉歆父子之後，中國的文獻整理，即校讎活
動與校讎學，又有所發展。宋代學者鄭樵就是一位集大
成者。鄭樵（1104～1162），字漁仲，自號溪西逸民，
世稱夾漈先生，南宋興化軍莆田（今福建莆田縣）人。

自幼博覽羣書，勤於學問，在夾漈山下刻苦讀書 30 年
（父親身後給他留下三千餘卷書籍），後又「遊名山大
川，搜奇訪古，遇藏書家必借留，讀盡乃去」。所學涉
及經史、文字、天文、地理、魚蟲、草木、音樂、藝
術、校讎、金石等。他所著《通志》200 卷 500 餘萬字，
有本紀、世家、列傳、載記、四夷、世譜、年譜、二十
略等，是一部綜合歷代史料而成的通史，後人將其與唐
杜佑的《通典》、元馬端臨的《文獻通考》並稱「三通」，
為古代重要政書。其中，總天下學術、條其綱目而編
就的《二十略》，被《四庫全書總目》評價為《通志》
全帙的精華所在。《二十略》裏的《校讎略》詳細探討
了圖書分類、編目、著錄、求書等圖書整理問題。

　　及至雕版印刷術普及，手抄書籍漸少，抄本錯字
的問題逐漸不再明顯，校讎活動也漸漸不再成為主要文
獻工作。宋明以來圖書館整理圖書的活動又出現了一個
新動向，即叢書編纂的熱潮。如明代程榮彙集漢魏六朝
37 種書籍而為一編的《漢魏叢書》，清代乾隆年間內廷
收錄 138 種書籍而編成的《武英殿聚珍版叢書》等。尤
其是《四庫全書》的編纂，不僅是我國古代圖書館發展
史上的盛舉，也是學術文化史上的大事。

　　乾隆三十七年（1772）清高宗弘曆為彰顯自己「稽

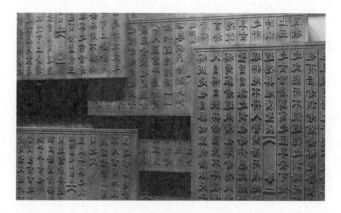

雕版印刷

古右文」的政治態度而下令徵集圖書，次年開設「四庫全書館」，組織了 300 多名學者、3000 多抄寫裝訂人員纂修抄寫，僅從各省就徵集了近 5000 種書，前後歷 20 年。全書共有 3500 多種書，7.9 萬卷，3.6 萬冊，約八億字，基本上囊括了中國古代所有圖書。

《四庫全書》書成後共抄七套，先儲藏在京城皇宮中的文淵閣、圓明園的文源閣、瀋陽文溯閣、承德的文津閣各一套，此四閣後被人稱「內廷四閣」或「北四閣」；後又在揚州的文匯閣、鎮江的文宗閣、杭州的文瀾閣各儲一套，稱「南三閣」。

七閣都是依明代著名藏書樓寧波范氏天一閣的樣式

建成的，是當時國內質量最上乘的圖書館建築。「北四閣」藏書主要供皇室使用，「南三閣」出自江浙為人文淵藪的考慮，按照乾隆的諭令，「該省士子，有願讀中祕書者，許其呈明，到閣抄閱」，即可以公開閱覽。後來文源、文匯、文宗三閣燬於戰火。現存四部書，文淵閣本在台灣，餘在大陸國家圖書館（文津閣本）、浙江省圖書館（文瀾閣本）和甘肅省圖書館（文溯閣本）。

四庫七閣建成年代和藏書情況

	文津閣	文源閣	文淵閣	文宗閣	文匯閣	文溯閣	文瀾閣
建成時間	乾隆四十年	乾隆四十年	乾隆四十一年	乾隆四十四年	乾隆四十五年	乾隆四十七年	乾隆四十八年
存書時間	乾隆四十九年	乾隆四十八年	乾隆四十六年	乾隆五十五年	乾隆五十五年	乾隆四十七至四十八年	乾隆五十五年
藏書損毀、遺失時間		1860年，英法聯軍		1853年，太平天國戰爭	1853年，太平天國戰爭	1901年，八國聯軍，丟失39卷	1861年，太平天國戰爭，大部分損毀
書閣分離時間及存放地	1914年，國家圖書館		1931年，台北故宮博物館			1936年，甘肅省圖書館	1911，浙江省圖書館

《四庫全書》保存文獻的貢獻非常巨大，僅從《永樂大典》中輯出的佚書就有 385 種。重大的圖書整理活動總會結出重要的學術果實。《四庫全書》的編纂產生

了幾部重要的藏書目錄，如由紀昀主持編撰的《四庫全書總目提要》。紀昀（1724～1805）字曉嵐，一字春帆，晚號石雲，直隸河間府（今河北獻縣）人。官至禮部尚書、協辦大學士，曾任《四庫全書》總纂修官。除《四庫全書總目提要》外，還編撰了《四庫全書簡明目錄》20 卷等。《四庫全書總目提要》可以說是中國古典書目的集大成之作，它促進了古代文獻目錄以及校讎學、治書學的發展。

　　進入近代晚清之後，由於叢書增多，有些藏書目錄、薦書目錄在書籍分類時，於傳統的經史子集四部類目之外，還特設「叢書」一類。如清代張之洞所編的《書目答問》，就在經史子集之後設了「叢書」類（包括「古今人著述合刻叢書」「國朝一人著述叢書」）。《書目答問》的實際編撰者為繆荃孫，其事跡詳見本書第六章第二節。

　　民國期間，商務印書館張元濟印行的《四部叢刊》，是專門影印宋元舊本以及明清精刻精抄本的一套叢書。張元濟的生平事跡本書第六章第五節已作介紹。《四部叢刊》初印始於 1919 年，收四部書 323 種 2100 冊（再版時增加 12 冊），1934 年又印成《續編》81 種，1936 年又出《三編》73 種，各分裝 500 冊。此外張元

濟還主持影印了《百衲本二十四史》《涵芬樓祕籍》《續
古逸叢書》等重要古籍叢書，使古籍善本得到傳播，為
學者研究提供了極大方便。

　　張元濟之後，為叢書編撰貢獻最為卓著的是圖書館
學家兼出版家的王雲五。王雲五（1888～1979），字之
端，號岫廬，原籍廣東香山（今中山），出生於上海。
因家境貧寒、體弱多病，11 歲始入私塾學習，14 歲在
五金店當學徒，半工半讀在夜校學英文。後在中國公學
等校教授英文。民國十年（1921），經胡適推薦進入商
務印書館。

　　1924 年，在張元濟和王雲五倡導下，原只為商務
員工服務的商務印書館的圖書館涵芬樓，改建成供大
眾閱覽的東方圖書館，王雲五出任館長並加入了中華圖
書館協會。王雲五在商務印書館工作初期，編印出版了
許多小叢書，大受社會歡迎。後來他設想，如果能利用
東方圖書館的豐富館藏，編印出一套叢書，全國各地
方、各學校、各機關，甚至於許多家庭購買一套，就相
當於把整個的大規模圖書館化成無數的小圖書館，而且
裝備叢書的小圖書館，管理也相對容易，人們可以用較
低的代價讀到人人當讀的書籍。於是他開始醞釀出版叢
書《萬有文庫》。1929 年《萬有文庫》第一集 1010 種、

2000 冊開始刊行，1934 年第二集 700 種、2000 冊開始刊行。至日本發動侵華戰爭前，第一集售出約 8000套，第二集售出約 6000 套。《萬有文庫》的出版開創了我國圖書出版平民化的新紀元，當時許多機構因購置一部《萬有文庫》而成為一個小型圖書館。

　　集圖書館學家與出版家於一身的王雲五完全是自學成才，儘管在自己學歷一欄裏僅填「識字」二字，但他卻通過自學，得通英、法、德、日多國文字。他少年期間曾受惠於英國教師布茂林私人圖書館的幫助。18 歲時，他以分期付款的方式買下一部英文版的《大英百科全書》，後花數年將此 35 巨冊的書通讀了一遍。在主持東方圖書館工作期間，王雲五發明了四角號碼檢字法，編出了《王雲五大詞典》等詞典，以及創立了《中外圖書統一分類法》。這部 1928 年編定的《中外圖書統一分類法》與杜定友、劉國鈞、皮高品等人編的分類法一樣廣有影響，是民國期間中國圖書館界使用最為廣泛的分類法之一。後來他還想編就一部集我國詞語之大成的《中山大字典》，但因戰亂等原因，只出版了一本《一字長編》，僅「一」字就有數十萬字、三四百頁的解釋。《萬有文庫》是藉助出版來促進圖書館發展的成功創意，圖書館事業與現代出版業相扶相助、共同繁榮，

晚年王雲五

這是王雲五的一個獨特貢獻。

在文獻編纂方面，另一位做出重要貢獻的圖書館學家是顧廷龍。顧廷龍（1904～1998），字起潛，江蘇蘇州人。他熟通版本目錄學，同時也以書法馳名。1931年畢業於上海持志大學，1932年畢業於北平燕京大學研究院國文部，獲文學碩士學位。隨後即受燕京大學圖書館館長洪業之聘，出任哈佛燕京圖書館駐北平採訪處主任，從此獻身圖書館事業近70年，先後擔任上海私立合眾圖書館總幹事（主持館務）、上海歷史文獻圖書館館長、上海圖書館館長等職。在此期間，顧廷龍也運用出版策略，整理、影印了一批宋元善本、明清孤鈔等，使得孤本不孤，祕本不祕，化身千百，澤惠學人。

為了反映古代叢書大貌、便於學者檢索叢書，顧廷龍主編了《中國叢書綜錄》這部大型工具書，收錄全國

41 家大型圖書館所藏古籍叢書 2797 種，分總目（後附
《全國主要圖書館收藏情況表》）、子目分類目錄、子目
書名索引和子目著者索引三大冊。該書面世後受到學術
界的熱烈歡迎，《人民日報》曾發文稱其為檢查中國古
籍的「雷達」。顧廷龍第二個重要的「雷達」《中國古
籍善本書目》（主編顧廷龍，副主編冀淑英、潘天禎），
全書分經部（一冊）、史部（兩冊）、子部（兩冊）、
集部（三冊）、叢部（一冊），共收錄全國 781 個圖書
館或文化機構所藏古籍善本六萬種、約 13 萬部。《中國
古籍善本書目》為近幾年大型古籍整理工程的順利開
展，如《四庫全書存目叢書》《續修四庫全書》《四庫禁
毀書叢刊》《中華再造善本》等，提供了十分重要的參
考依據。

2 圖書館管理

中國古代藏書管理有着許多好的經驗和傳統。如隋
朝皇家圖書館東都洛陽的觀文殿，藏書管理分品位、分
種類。據《隋書・經籍志》載：「煬帝即位，祕閣之書，
限寫五十副本，分為三品：上品紅琉璃軸，中品紺琉璃

軸，下品漆軸。於東都觀文殿東西廂構屋以貯之，東屋藏甲乙，西屋藏丙丁。又聚魏已來古跡名畫，於殿後起二台，東曰妙楷台，藏古跡；西曰寶跡台，藏古畫。」

近代以來，西方新式圖書館傳入中國，出現了諸多圖書館學大家和出色的圖書館管理者。除上文中已作介紹的梁啟超、繆荃孫、徐樹蘭、蔡元培、李大釗、張元濟等人外，還有柳詒徵、袁同禮、杜定友、蔣復璁、李小緣等大家。

柳詒徵（1880～1956），字翼謀，號劬堂、知非，江蘇鎮江人。17 歲考中秀才。1903 年隨繆荃孫赴日本考察教育。1915～1925 年，先後執教於南京高等師範學校、東南大學、東北大學、北京師範大學等，輾轉於南京、瀋陽、北京等地。1927 年就任江蘇省立第一圖書館館長，該館即為光緒三十三年（1907）兩江總督端方創辦的江南圖書館，後改名為江蘇省立國學圖書館。他主持編纂的《江蘇省立國學圖書館圖書總目》共 44 卷、30 巨冊，有經、史、子、集、志、圖、叢書七部 85 類832 屬。叢部分五類，但叢書子目又分歸各類，便於讀者多途徑檢索。集部編次以作者卒年為斷，便於確定易代之際的作者歸於何朝何代。這部書目在分類、編目上借鑒了古今方法，有繼承有創新。顧廷龍先生主編的

《中國叢書綜錄》，叢書子目分類部署的做法就借鑒了《江蘇省立國學圖書館圖書總目》。

柳詒徵還有一創舉，就是開「住館讀書」之先例。他主持制定的圖書館章程中，第九章專為「住館讀書規程」，規定「有志研究國學之士，經學術家之介紹，視本館空屋容額，由館長主任認可者，得住館讀書」，取費與館友相同，不事營利。當時一些年輕人，如蔡尚思、蘇維嶽、任中敏、吳天石、柳慈明、趙厚生等後來的著名學者都先後在國學圖書館住館讀書。據蔡尚思先生回憶，從 1934 年至 1935 年，他住館讀書，當時年齡未及三十，每天讀書 16 至 18 小時，從不間斷，幾乎讀遍了集部書。「住房不收費，吃的是稀飯鹹菜，生活是緊張而艱苦的，但讀書之多，學問增長之快，在我一生之中都沒有超過這個時期的。」因此，蔡尚思感慨地說：「我從前只知大學研究所是最高的研究機構；到了 30 年代，入住南京國學圖書館翻閱歷代文集之後，才覺得進研究所不如進大圖書館，大圖書館是『太上研究院』。對活老師來說，圖書館可算死老師，死老師遠遠超過了活老師。」「住館讀書」與蔡元培主持北京大學允許女生及校外生旁聽之舉，有異曲同工之處。昔日住館讀書的有志青年，後來多有成為知名學者。

　　與柳詒徵這位土生土長的圖書館學家不同，袁同禮、杜定友、蔣復璁、李小緣等人則是留洋受過歐美圖書館學教育的圖書館學家。

　　袁同禮（1895～1965），字守和，河北徐水人。1913年考入北京大學預科英文甲班，1916年畢業後到清華學校圖書館參考部工作，成為我國最早的圖書館參考工作者。翌年任圖書館主任，1918年當選北京圖書館學會會長。1920年由清華大學和北京大學資助赴美國深造，在哥倫比亞大學和紐約州立圖書館專科學校學習，獲美國哥倫比亞大學文學士和紐約州立圖書館專科學校圖書館學學士學位。

袁同禮

　　袁同禮1923年回國，任北京大學圖書館館長，是國內第一批留洋歸來、具有現代圖書館學知識的背景的專才。而後出任北京北海圖書館圖書部主任、副館長、館長，國立北平圖書館副館長、館長，前後長達20餘年。從1925年4月中華圖書

館協會成立起，袁同禮就一直充任要職，曾被選為協會董事、董事部書記、執行部長（執委會主席）、理事長等。1948 年受美國國會圖書館邀請赴美訪問研究，遷居美國，相繼在國會圖書館東方部和斯坦福大學研究所從事中國典籍的整理與研究工作。

袁同禮一生的大部分時間和精力都用在北平圖書館的建設上，北平圖書館是後來的北京圖書館和國家圖書館的前身。1925 年，國立京師圖書館委員會（後改名北平圖書館）成立，袁同禮任圖書部主任，1927 年被聘為副館長，同年館長范源廉病逝，由袁同禮主持館務。在此期間，還任北海圖書館代理館長，積極參加北海圖書館新館舍建設（今為國家圖書館文津街館舍），是該建築委員會五名委員之一。

1929 年，北海圖書館與北平圖書館合併，改組為國立北平圖書館，與南京的國立中央圖書館共同行使國家圖書館的職能。同年袁同禮任國立北平圖書館副館長，主持館務工作，1945～1948 年任館長，直至去國赴美。

在抗戰期間，袁同禮南下湖南，以國立北平圖書館名義與長沙臨時大學合作，兼任臨時大學圖書館館長。1938 年隨臨時大學遷往昆明，設立北平圖書館昆明辦事處，積極從事抗日活動。為復興圖書館事業，他在

1938 年以中華圖書館協會理事長名義，分別致函歐美各國圖書館協會，痛陳日軍暴行，並廣泛徵集圖書，得到歐美各國圖書館的援助。抗戰勝利後，袁同禮參加了接受敵偽文物圖書的工作。

　　袁同禮在主持北平圖書館工作期間，最為人稱道之事有二：一是訪求書籍，不遺餘力；二是禮賢下士，造就學者。

　　在袁同禮主持下，北平圖書館蒐購了會稽李慈銘越縵堂、上海潘氏寶禮堂、聊城楊氏海源閣、東莞倫明續書樓等私人藏書家的珍藏，派人傳拓各地古代碑銘 350 多種，還派人遠赴滇境訪到西南五省的稀有方志以及 4000 餘冊古東巴圖畫象形文字經書。此外還到國外採買西方學術名著的各種版本，如黑格爾、康德、莎士比亞等人不同時期的稀有著作版本等。袁同禮還派遣向達、王重民等赴英、法拍攝敦煌卷子，探訪流落到歐洲的《永樂大典》。因經費困難，袁同禮還利用個人聲望向國內外各文化機關、學校及文化界知名人士、政府要員等發送信件，募集書籍。北平圖書館由此收到了國內外捐贈的大量書刊資料，其中不乏珍貴資料。袁同禮先生對贈書者極其尊重，每次收到贈送書刊資料後，不論其價值大小，均專函致謝，並在每年《館務報告》的

「贈書人名錄」中列出贈書者的姓名或單位名稱以及所贈書名。北平圖書館後來成為全中國藏書甲富，與袁同禮的貢獻密不可分。

袁同禮善於網羅人才，20 世紀 30 年代的北平圖書館人才濟濟，為學術界嘖嘖稱羨。當時先後在北圖工作過的專家學者有向達、王重民、劉國鈞、趙萬里、徐鴻寶、譚新嘉、葉渭清（宋學與宋史）、梁廷燦、譚其驤、錢鍾書、王庸（地圖史料）、謝國楨（明史及明代筆記）、賀昌羣（魏晉隋唐史學）、劉節（金石學）、孫楷第（小說目錄學）、于道泉（藏學）、嚴文郁、張秀民、楊殿殉、汪長柄、李芳馥、顧子剛（西文專家）、吳光清、張申府（西方哲學）、梁啟雄（梁啟超幼弟）、李德啟（滿文目錄學）、彭色丹喇嘛（蒙、藏文專家）、錢存訓、徐家璧等人。有的人來到北平圖書館時還是大學畢業生，袁同禮看到發表的文章，即邀其來館工作。如張秀民遠在廈門大學，寫了《四庫總目史部目錄及子部雜家》和《宋槧本與搖岺本》兩文，寄給了袁同禮並表示願意到北平圖書館工作，袁同禮看後即以館方名義去信爭取他來北平圖書館工作。後來張秀民成為著名印刷史專家。又如劉國鈞和袁同禮是同輩人，他留學美國又獲博士學位。袁同禮聞劉國鈞對分類編目很有研究和

見解，並正在編製中國圖書館分類法，即多次去函請劉
國鈞到北平圖書館任職，給他創造條件順利完成了《中
國圖書館分類法》和《中文圖書編目條例》兩個規範。
王重民、向達從事中西交通史和敦煌學研究，袁同禮爭
取經費送他們到英、法作為交換館員，使其有機會獲得
深造。從 1930 年起，北平圖書館送到美、英、法、德
等國以交換館員身份進行培養的共有 20 多人，他們後
來大都成為著名學者。一些學者成名後未能回到北平圖
書館，而是執教於別的大學或到其他圖書館做館長。於
是有人對此有看法。袁同禮卻表示：我們培植的人才，
乃為整個圖書館事業和學術界的需要，所以「我寧捨
己，將種籽撒播出去，將來所收穫的果實一定更多」。

杜定友

由於專家治館，北平圖書
館的業務工作一躍而居全
國之首。

　　杜定友（1898～1967），
廣東南海人，出生在上
海。少年時代在南洋公學
讀書，1918 年南洋大學
新建圖書館而急需專業人
才，校長唐文治派他到菲

律賓大學學習圖書館學專業（菲律賓大學是美國人主事的）。1921 年杜定友以優異成績提前一年畢業回國，獲文學、教育學、圖書館學三個學士證書及一個高師畢業證（即中學教師資格證）。從此在上海、廣州兩地從事圖書館事業長達 50 年，先後擔任過廣東省立圖書館館長、復旦大學圖書館主任、南洋大學圖書館主任、中山大學圖書館主任、上海市立圖書館籌備處副主任、廣東省文獻館主任等職。

杜定友不僅對圖書館學頗多著述，同時於圖書館管理實務也多有新創建。例如 1924 年在南洋大學圖書館率先發明使用顏色書標，以避免亂架過甚及提高排架效率；1925 年出版了適於中外文書籍統一分類的《圖書分類法》，出版了編製索書號用的《著者號碼編製法》，在國內產生很大影響。1926 年在上海組織學生編製出第一部報紙索引《時報索引》。1930 年鑒於西式圖書館讀者使用的卡片目錄櫃不能同時多人使用，於是發明可以掛壁翻看的明見式卡片目錄。1932 年出版了以字形為檢索入口的《漢字形位排檢法》。1932 年推動成立中國圖書館服務社，次年又出版《圖書館表格與用品》一書，積極促進圖書館工作的標準化。1936 年主持中山大學圖書館新館建設時，他的圖書館設計體現了旅館化、家庭

化、機械化，立志要建一所現代化的圖書館，以樹南中國楷模。1941年在抗戰流亡中，為重組廣東省立圖書館而大力收集地方文獻，書、圖、文件之外，連傳單、標貼都在收集之列，最終使廣東省立圖書館成為國內地方文獻宏富的圖書館。在圖書館業務、管理、服務等方面，杜定友先生可謂是「龍蟲並雕」，不分巨細，稱得上是我國圖書館工作上創新最多的專家。

蔣復璁（1898～1990），浙江省海寧人。北京大學哲學系畢業。早年即從事圖書館活動。1922年北京松坡圖書館成立，蔣復璁被聘編製外文書目。1926年，蔣復璁被聘於國立北平圖書館。1930年赴德國柏林大學圖書館學研究所留學，並任普魯士邦立圖書館客座館員。回國後，1933年被教育部委任籌備中央圖書館。

抗日戰爭時期，蔣復璁領導中央圖書館籌備處遷館四川，建立中央圖書館重慶分館。1940年中央圖書館正式成立，蔣復璁被任命為館長。在此期間，蔣復璁與鄭振鐸、張元濟等人成立文獻保護同志會，提出從今以後決不聽任文獻流失他去，好書要為國家保留之。

1940年，蔣復璁為蒐購戰爭中散失的善本，赴淪陷區籌設機構，用中英庚子賠款董事會補助中央圖書館款項，從上海、香港兩地祕密收購善本，運往重慶。至

1946 年年底，中央圖書館入藏中日文書 754551 冊，善本書 153414 冊，還有大量的金石拓片和古今輿圖。

1948 年赴台後，蔣復璁任台灣「中央圖書館」館長，並兼任台北圖書館館長、故宮博物院院長等職。

蔣復璁熱心中華圖書館協會的工作，早在 1924 年即與袁同禮為籌備中華圖書館協會而南北奔忙。在他們的努力下，1925 年中華圖書館協會成立，蔣復璁先後出任協會執行部幹事、分類編目組和圖書館行政組負責人，執行委員，1937 年後任理事會理事。

李小緣（1898～1959），原名李國棟，江蘇南京人。1920 年畢業於南京金陵大學，任金陵大學圖書館管理員。1921 年赴美國紐約州立圖書館學校和哥倫比亞大學師範學院學習，1925 年獲美國國圖書館學學士、教育社會學碩士學位。1925 年回國後，出任金陵大學圖書館館長，並任金陵大學教授、圖書館學系主任、中國文化研究所研究員兼史學部主任。他長期主掌金陵大學圖書館館務，並積極參與中華圖書館協會的工作。在當時中華圖書館協會的籌建過程中，圖書館界有「黎元洪」之戲稱，即指李小緣（黎）、袁同禮（元）和洪範五（洪），可見其影響及對建立中華圖書館協會貢獻之大。

　　1927 年他寫出了一份《全國圖書館計劃書》，對國立圖書館（國家圖書館）、省立圖書館、公共圖書館、學校圖書館等的建立提出了很好的建議，每類圖書館的建設都分別依「總綱」「組織」「經費」「舉辦事業」「流通要則」等詳細論述，不蹈空談。其「附錄」中甚至都擬好了「圖書館為吾人人生之必須品」等 14 條圖書館用標語。這是我國現代圖書館事業發展史上第一份完整的綱領與藍圖。後來有人將他的《中國圖書館計劃書》作為提案提出，倡議成立中央圖書館，即今南京圖書館的前身。

3 學術研究

　　在西方圖書館學傳入中國以前，中國已有校讎學等關於文獻整理、管理的理論、方法和技術。古代校讎學實由劉向、劉歆父子開創，鄭樵給予了體系化。然而真正將校讎學提升為一門學問，主要貢獻還在於清代學者章學誠。

　　章學誠（1738～1801），字實齋，浙江會稽（今紹興）人。一生流離困苦，41 歲才中進士，但終未入仕

途。所著《文史通義》《校讎通義》於身後方獲得很高的聲譽。章學誠的校讎學思想和理論主要體現在《校讎通義》一書。他的主要思想至今仍有很大學術價值，例如：（1）關於校讎學之源流。他認為戰國以前學術在官，官師合一，私門無著述。「官守之分職，即羣書之部次，不復別有著錄之法」。後來禮崩樂壞，官師分離，學流民間，私門出現著述。書籍散於天下無所統宗，故劉向、劉歆父子不得不進行校讎工作。（2）劉向、劉歆父子開創的校讎之學，目的是通過「部次條別」（即分類歸屬）來實現「辨章學術，考鏡源流」，便於學者由委溯源，「即類求書，因書究學」。（3）有些書籍古有今無，有些書籍古無今有，故圖書類目的設置要隨時而進，不能拘泥以往。目錄類次應該「道」先「器」後，即「形而上」的理論書籍應該排在「形而下」的實用書籍的前面。（4）圖書著錄遇到「理有互通，書有兩用」者，應該在相關的類目之下「互著」（也稱互註）；一書之內有數篇內容涉及其他類別，並相對完整，也可以將這些篇章「別裁」出來，著錄於其他類。（5）應該編製索引，「盡取四庫之藏，中外之籍，擇其中之人名、地號、官階、書目，凡一切有名可治、有數可稽者，略仿《佩文韻府》之例，悉編為韻」，成一工具書，以備校

章學誠所著《文史通義》《校讎通義》

書之用。尤其他的古代校讎學宗旨是「辨章學術，考鏡源流」的觀點，早已流播海內外，廣為學人所知。

現代圖書館學在中國興起之後，這些學術思想逐步被圖書館學吸納，並被賦予了科學的特質。這一舊學與新知的良好對接，首功在於梁啟超。

梁啟超（1873～1929）在中國早期圖書館事業中發揮的重要作用前文業已詳細述及（見第四章第二節）。民國建立後，梁啟超在圖書館事業建設和圖書館學研究方面繼續發揮了巨大作用。1916 年，梁啟超為紀念蔡鍔（蔡松坡）將軍而四處募捐籌建新型圖書館「松坡圖書館」，而後自任松坡圖書館館長。1925 年年底，梁啟

超被北洋政府教育部聘為國立京師圖書館館長。1926年
春，中華教育文化基金會又辦一所北京圖書館（後改名
北海圖書館），梁仍被聘為館長。至此他一身兼三館館
長，遂將主要的精力投入圖書館事業，同時潛心研究圖
書館學、文獻學。

　　梁啟超的圖書館學思想和理論主要集中在圖書館
學原理、目錄學和辨偽學等方面。（1）關於圖書館的功
用。梁啟超在1916年12月17～18日《時事新報》上
的《創設松坡圖書館緣起》一文中，提出圖書館不僅能
保存國粹，普及學問，還標誌着一國的文明程度，關係
着國家的存亡。（2）呼籲建設中國的圖書館學。中國的
文字、書籍有自身的歷史和特徵，文獻研究、書籍管理
也有特殊的方法，故應結合中西圖書館學知識創建自己
的圖書館學。如在分類、編目中一方面借鑒西方的分類
法、編目原則，也要把我國古代「互註」「別裁」的優
良方法吸收進來；要繼承中國古代編製大型類書、叢書
的傳統（1927年他自己曾擬定《中國圖書大辭典》的編
寫提綱，後因逝世而沒有實現）。（3）在目錄學方面，
他的《西學書目表》（1896）首創了學（科學）、政（政
經）、教（宗教）、雜（綜合）四分方法，頗便初學
者覓尋西學軌途；《讀書分月課程》（1894）、《國學入

門書要目及其讀法》（1923）與《要籍解題及其讀法》
（1923）三篇書目，開了專家推薦書目的新風氣，曾在
青年學生中廣有影響；《佛家經錄在中國目錄學之位置》
（1925）一文，是中國專科目錄學研究的奠基之作。（4）
在辨偽學方面，他專寫了《古書真偽及其年代》（1927）
一書，對偽書的成因、偽書的種類、偽書的辨別方法提
出了一整套理論。

　　梁啟超圖書館學思想的核心是秉承傳統、借鑒西
學，重視學術史的挖掘、強調會通，求實用，講實際。
他對圖書館事業的熱愛甚至感染了家人，他的女兒梁思
莊就是受父親的影響在美國專攻圖書館學，回國後長期
任職於燕京大學圖書館、北京大學圖書館，成為深孚眾
望的圖書館學家，也是首屈一指的西文編目專家，並任
北京大學圖書館副館長，中國圖書館學會副理事長。

　　20世紀二三十年代，中國圖書館學的發展出現了第
一次高潮。這一高潮是眾多圖書館學家努力的結果。特
別是一批留學國外專攻圖書館學的學者先後回國，在國內
掀起了新圖書館學研究的高潮，如沈祖榮（第一位圖書
館學留美生）、胡慶生、戴志騫、徐燮元、杜定友、洪範
五、袁同禮、李小緣、劉國鈞、蔣復璁、查修、桂質柏
（第一位獲美國圖書館學博士學位）、徐家麟等，其中除

杜定友留學菲律賓、蔣復璁先生留學德國之外，其餘皆清一色留學美國接受圖書館學教育學成歸國者。他們對中國圖書館學的開創與發展的貢獻是不可磨滅的。

這些卓有成就的學者及成就有些已經在本章或本書中提到或專門作了介紹，有的則限於篇幅無法一一論及。這裏只簡要介紹兩位在中國圖書館學理論研究上最有影響力的人物杜定友和劉國鈞，他們二人被今天的圖書館學研究者簡稱為「南杜北劉」。

在上節中已經介紹了杜定友在圖書館管理方面的業績。其實他更大的成就還在思想理論研究方面。杜定友一生著述達 600 餘萬言，僅著作就有 55 種，可以說是中國圖書館學家當中著述最多的人。主要著作有《圖書館通論》（1925）、《圖書分類法》（1925）、《學校圖書館學》（1928）、《校讎新義》（1930）、《圖書管理學》（1932）、《漢字形位排檢法》（1932）等，在圖書館學基礎理論、圖書分類學、圖書目錄學、漢字排檢法、圖書館管理、圖書館建築、地方文獻等領域皆有突出理論建樹。如杜定友關於圖書館「三位一體」（書、人、法）及其不同時代重心不同的觀點，圖書館學應由原理與應用兩個層面組成的認識，中外書籍要統一分類的思想，以及給地方文獻所下定義和範圍（包括史料、人物、出

版）等，都對中國圖書館學的發展產生過極大影響。杜定友圖書館學研究的最大特點是理論與實踐能熔為一爐，創新意識非常強。

劉國鈞（1899～1980），字衡如，江蘇南京人。1920年南京金陵大學文學院哲學系畢業後，留校在圖書館工作。1922年赴美國威斯康星大學攻讀圖書館學課程，並於1923年6月取得碩士學位。後又攻讀哲學課程，1925年春獲得哲學博士學位後返回國內。他先後在金陵大學圖書館、北平圖書館、國立西北圖書館任職或擔任館長。1951年後任教於北京大學圖書館學系並擔任過系主任。劉國鈞先生的代表作有《中國圖書分類法》（1929）、《中國圖書編目條例》（1930）、《圖書館學要旨》（1934）、《什麼是圖書館學》（1957）、《中國書史簡編》（1958）等。在圖書館學基礎理論、圖書分類、圖書編目、中國圖書史、圖書館工作自動化等領域有着突出的建樹。如認為圖書館學研究要細化成五個要素（圖書、讀者、領導和幹部、建築與設備、工作方法）才能深入的思想，好的分類法應具備四個部分（系統表、理論的基礎、索引、分類條例）的論述，分類目錄應是宣傳圖書、指導閱讀的工具的觀點，都有深刻的洞見及廣泛的影響。1957年以後，因避免與當時社會意

識形態的衝突，劉國鈞的學術研究重點轉入了圖書史、圖書分類領域，並寫了一系列的中國書史著作。他還在「文革」後期（1975）率先介紹西方機讀目錄（MARC），表現出開放的視野與偉大的預見。劉國鈞先生圖書館學研究的最大特點是邏輯性極強，善於說明事理並提升理論層次，給人以條分縷析的深刻印象。

4 專業教育

我國現代圖書館學教育是在美國圖書館學者推動下開始產生的。1913 年，美國圖書館專家威廉・克乃文（William Harry Clemons）在南京金陵大學主持圖書館工作時，曾在該校文科專業開設了圖書館學課程。1920年，美國圖書館員韋棣華（Elizabeth Wood，1861～1931）在武昌開設了文華大學圖書科（Boone Library School），1929 年經教育部批准改辦為獨立的圖書館學專門學校，名稱易為「文華圖書館學專科學校」（後人簡稱其為「文華圖專」，英文名稱未變）。從此，中國的圖書館學教育事業近百年來，弦歌不輟，至今仍在向前發展。

　　韋棣華興辦文華公書林的事跡本章第四節已做介紹。當時的文華公書林實際上只有兩名工作人員，即總理韋棣華和出任協理的文華大學畢業生沈祖榮，後來又加入了文華中學英語教師胡慶生。

　　在興辦文華公書林的過程中，韋棣華深感圖書館專門人才的匱乏，萌發了創辦圖書館學教育機構的想法。1914 年她資助沈祖榮去美國紐約公共圖書館學校攻讀圖書館學，從而使沈祖榮成為中國和亞洲第一個留學美國研習圖書館學的人士。沈祖榮 1917 年回國，除了在文華公書林工作外，還花了大量的時間在全國各地宣傳美國式的圖書館，使得圖書館公開開放的理念逐步深入人心。1917 年韋棣華又派胡慶生赴紐約州公共圖書館學校攻讀圖書館學，她自己也於 1918 年返回美國到西蒙斯大學圖書館學校進修。1919 年韋棣華和胡慶生學成歸國。

　　鑒於國內當時圖書館有所發展，特別缺乏圖書館人才，於是韋棣華向文華大學提出創辦圖書館學校。1920 年 3 月文華大學文華圖書科成立，韋棣華擔任科主任，以文華公書林作為講課場所及實習基地。文華圖專起初只招收文華大學在校大學生兼修圖書館學專業，學業兩年。1926 年有了獨立經費後開始面向社會招收大學生。1929 年文華圖專獨立，改稱武昌私立文華圖書館學專

科學校，圖書館學教育發展的速度加快。

　　從 1920 年文華圖書科正式成立到 1953 年 8 月併入武漢大學為止，文華圖專為國內圖書館、檔案館界共培養了600 多人。民國期間，國內重要圖書館的業務骨幹，文華畢業生幾乎佔去了半壁江山。韋棣華為辦好文華公書林和文華圖專，屢次回國學習圖書館學知識，四處募集經費，並躬親管理，最後積勞成疾，1931 年 5 月病逝於武昌。其堅忍、刻苦的精神和堅定的信仰，支持她為中國圖書館事業做出了傑出的貢獻。為紀念這位傑出女性，現在美國韋棣華基金會每年都支出約一萬美元的獎學金

1931 年 5 月湖北私立武昌文華圖書館學專科學校師生全體合影

來獎勵在中國高校就讀圖書館學、情報學的優秀學生。

　　沈祖榮（1884～1977），字紹期，湖北宜昌人。
1903 年受湖北宜昌聖公會教堂推薦，就讀武昌聖公會
主辦的教會大學文華書院（1916 年升為文華大學）。
1910 年畢業後隨從韋棣華進入公書林任職，1914 年赴
美攻讀圖書館學專業，1916 年畢業，獲圖書館學學士
學位，1917 年回國後全力協助韋棣華創辦文華圖專，
投身圖書館教育事業，並終此一生。

　　1926 年，沈祖榮繼韋棣華擔任文華公書林總理（館
長），1929 年又任文華圖專校長。1925 年參與組建中華
圖書館協會並擔任董事等要職。1929 年沈祖榮作為中華
圖書館協會唯一正式代表，前往羅馬參加第一次國際圖
聯（IFLA）國際圖書館與目錄學會議，揭開我國圖書館
界參與國際圖書館界事務與活動的序幕。在他主持下，
文華圖專於 1940 年增設檔案專業，擴大教學規模，使
我國有了全國唯一正式的檔案管理專業和專門培養檔案
人才的機構。

　　1951 年，武昌私立文華圖書館學專科學校改為武
昌公立文華圖書館學專科學校，1953 年學校整體併入
武漢大學，並改名為武漢大學圖書館學專修科，學制仍
為兩年；1955 年學制改為三年；1956 年「武漢大學圖

書館學專修科」改稱「武漢大學圖書館學系」，同時學制改為四年。這期間，沈祖榮一直都是主要負責人。1977 年，沈祖榮先生與其夫人同日在廬山去世。

　　文華圖專在韋棣華和沈祖榮的主持下，培養了許多圖書館學人才，如南京圖書館館長汪長炳、上海圖書館館長李芳馥、湖北省圖書館副館長張遵儉、中國科學院圖書館副館長顧家傑、四川大學圖書館館長桂質柏和毛坤、中山大學圖書館研究員周連寬、外交部國際關係研究所圖書資料室主任陳尺樓，以及後來去台灣的藍乾章、沈寶環（沈祖榮之子）、嚴文郁等都是文華圖專的畢業生，也都是國內著名圖書館專家。還有一些畢業生在國外圖書館就職，如美國哈佛大學燕京圖書館創始人和館長裘開明（1921 年畢業，曾編製《漢和分類法》）、房兆穎（1930 年畢業，在哥倫比亞大學執教）、童世綱（1933 年畢業，普林斯頓大學東亞圖書館館長及美國亞洲研究委員會東亞圖書館分會主席）等，在海外服務期間取得了巨大成就，得到了許多榮譽。另有一些畢業生成為我國著名的圖書館學家，如分類學專家皮高品、圖書館學教育家徐家麟、索引專家錢亞新、目錄學家呂紹虞、參考諮詢專家鄧衍林等。著名人類學家、博物館學家馮漢驥，語言學家、外國文學專家戴鎦齡，詩人王文

山等也都曾是文華圖專的學生。

在 20 世紀 40 至 50 年代，圖書館學教育家王重民也為中國的圖書館學和圖書館學專業教育做出了突出貢獻。

王重民（1903～1975），字有三，河北高陽人。1924 年北京高等師範學校（後改名北京師範大學）學習，曾師從陳垣、楊樹達等。1929 年畢業受聘於國立北平圖書館。1934 年受派到法國、德國、梵蒂岡、英國等地圖書館收集與研究中國流失海外的圖書資料，如敦煌遺書、太平天國文獻、明清傳教士著作及中國古籍孤本祕籍。他抄錄卡片、拍攝縮微膠捲、做提要或札記，成績斐然，知名海內外。「二戰」期間為美國國會圖書館整理鑒定中國古籍善本。1941 年曾回國一次，參加搶運北平圖書館善本書送美國寄存工作。1947 年由美返回，仍任職於北平圖書館，並兼職北京大學中文系。

經王重民向當時的北京大學校長胡適建議，1947 年在北大中文系創辦了圖書館學專修科，當年 9 月開始招生，當時只招收北大中文系、歷史系成績在 75 分以上的畢業生。1948 年底，王重民還代理國立北平圖書館館長職務。1949 年，圖書館學專修科從中文系分離出來，王重民任主任。1952 年，他辭去北京圖書館副館長職務，專職任北大圖書館學專修科主任。1956 年，經教

育部批准改為北京大學圖書館學系。

　　從圖書館學專業建立之初，王重民制訂教學計劃，延聘名師，毛子水、趙萬里、袁同禮、于光遠、傳振倫、王利器、劉國鈞等一批著名學者先後來任教或授課，為北大圖書館學系的壯大奠定了堅實的基礎。北大圖書館學系迅速發展為中國的圖書館學教育重鎮，與武漢大學圖書館學系比肩而立，為中國圖書館事業培養了大批精英人才。

　　王重民在 1957 年的反右鬥爭以及後來的「文化大革命」中，遭到迫害和誣陷，1975 年 4 月 16 日含冤自縊於頤和園。

　　王重民的學術成就廣為學界所知，他在敦煌學領域出版有《敦煌曲子詞集》（1950）、《敦煌變文集》（1957）、《敦煌古籍敍錄》（1958）等系列專著，在索引學領域他有《國學論文索引》（初編、續編、三編）、《清代文集篇目分類索引》（1935）、《敦煌遺書總目索引》（1962）等鴻篇巨製問世，在目錄學領域有《中國善本書提要》（1983）、《中國目錄學史論叢》（1985）、《校讎通義通解》（1987）等名作傳世。他的著作代表了這些學術領域在當時的最高水平，至今仍是圖書館學、中國史學入門者必修的經典作品。

七、走向現代化

1 近六十年中國圖書館發展回顧

中國圖書館雖然已有百歲期頤的歷史，但本書表述的重點在 19 世紀末期和 20 世紀上半葉。這也是多數史書、史話的通行慣例。作史要有距離感，許多事物也要經過一段時光的磨礪才會清晰可見，時間會使我們具有歷史的眼光。因此，這本小書到此為止，也就算不負使命了。

但我仍想為本書添個「蛇足」，在這最後一章裏簡略敍述一下中國圖書館現代化的歷程。首先全景式地粗略回顧一下 20 世紀下半葉以來中國圖書館的發展，然後提綱挈領地簡要論述現代圖書館的價值功用，以及全民閱讀、圖書館數字化等當代熱點問題，最後再以

位於經濟特區的深圳圖書館作為範例來加以論證說明。
儘管這種寫法屬「劍走偏鋒」，極易出錯，且費力不討
好，還可能產生誤會，但這樣做不僅可成全一部聊為完
整的圖書館百年史，還可為後世作史者留些鮮活的當代
素材。

參照當代學者的研究成果，以公共圖書館為主線，
20 世紀下半葉以來中國圖書館的發展可以大致分為五
個時期。

（1）建設時期（1949～1957 年）

1949 年中華人民共和國成立後，國民經濟得到恢
復，工業化進程迅速，人民生活水平提高，圖書館事業
也進入恢復和建設的新階段。

第一個五年計劃提出的圖書館建設方針是：「提高
質量，全面規劃，加強領導，又多、又快、又好、又省
地發展圖書館事業。」1955 年出台了《文化部關於加強
與改進公共圖書館工作的指示》，1956 年頒發了《中華
人民共和國高等學校圖書館試行條例草案》，使全國圖
書館事業走上了有計劃發展的道路。公共圖書館數量從
1952 年的 83 所增加到 1957 年的 400 所。

這一時期的興辦圖書館的思想方針主要來自蘇聯。

20 世紀 50 年代，上海圖書館前讀者排隊場景

列寧的圖書館理論，包括列寧夫人克魯普斯卡婭有關兒童圖書館的論述，均被奉為圭臬。多名蘇聯專家來華指導圖書館工作。

「為工農兵服務」和「向科學進軍」是這一時期圖書館界最為響亮的兩個口號。圖書館普遍推行「開門辦館」，「普及為主，普及與提高相結合」的方針，並為科研工作創造條件，建立文獻保障。

1957 年頒佈的《全國圖書協調方案》，就是「向科學進軍」的產物，在我國圖書館史上具有里程碑式的意義和深遠的影響。方案中的有關規定，如在國務院科學規劃委員會下設圖書小組來統籌規劃安排全國圖書工

作，在北京、上海建立中心圖書館委員會，編製全國圖書聯合目錄等，至今仍有積極意義。可惜的是，方案中的措施大多未能真正貫徹執行。

（2）異化時期（1958～1977 年）

從 1957 年「反右鬥爭」和 1958 年「大躍進」開始，直至「文化大革命」結束，是中國歷史上政治運動連續不斷的時期。全國性的政策方針都出現了嚴重的失誤，圖書館也因此受到摧殘，辦館方針異化，事業發展停滯乃至倒退。

在這一時期，尤其是「文革」期間，圖書館逐漸淪為階級鬥爭的政治工具，大批圖書資料被批為「封資修」遭到禁錮，外文書刊收藏被迫中斷，大量圖書館工作人員遭到迫害和摧殘。

事業發展出現大反覆、大滑坡。以公共圖書館為例，1957 年全國公共圖書館有 400 多所，經「大躍進」到 1960 年突擊發展到 1093 所，1963 年剩下 490 所，到 1970 年時只有 323 所。

（3）復甦時期（1978～1991 年）

1976 年，歷時十年的「文化大革命」結束，1978

年，中共十一屆三中全會確立了改革開放的基本國策，標誌着中國進入了以改革開放和經濟體制改革為主要指導方針的歷史新時期。我國的圖書館事業也從停滯中恢復，通過一系列的撥亂反正措施，開始了從傳統圖書館向現代化圖書館的轉變。

這一時期的圖書館理論研究和業務工作都有了很大進展，在書目著錄、文獻分類、主題標引等主要業務領域制訂了多項國家標準。現代化新技術，尤其是電子計算機技術開始在圖書應用，開始了圖書館自動化的新階段。圖書館學教育也在全國範圍興起。

一系列重要的綱領性文件均在這一階段產生，按照時間順序主要有：1980年中央書記處通過的《圖書館工作匯報提綱》，1981年教育部頒發的《中華人民共和國高等學校圖書館工作條例》，1982年文化部正式發佈的《省（市、自治區）圖書館工作條例》，1987年中宣部、文化部等四個部門聯合發佈的《關於改進和加強圖書館工作的報告》。其中《圖書館工作匯報提綱》是全國圖書館工作的指導性文件，是迄今為止我國唯一的國家級圖書館政策，標誌着我國圖書館事業正式步入一個新的繁榮發展時期。

據統計，從1980年至1990年，縣級以上公共圖書

館的數量從 1732 所增加到 2527 所，藏書量從 19904 萬冊增加到 29064 萬冊，館舍面積從 92 萬平方米增加到 326 萬平方米，購書經費從 2273 萬元增加到 8474 萬元。

（4）異變時期（1992～2005 年）

1992 年我國開始確立社會主義市場經濟，正式步入了市場經濟時代。經濟建設成為這一時期的「頭等大事」。

這一時期的圖書館事業有了快速的發展和繁榮。1996 年第 62 屆國際圖聯（IFLA）大會在北京召開，數字圖書館項目陸續啟動，一大批圖書館新館舍上馬。依然以公共圖書館為例，從 1990 年至 2005 年，縣級以上公共圖書館的數量從 2537 所增加到 2762 所，藏書量從 29064 萬冊增加到 48056 萬冊，館舍面積從 326 萬平方米增加到 677 萬平方米，購書經費從 8474 萬元增加到 59781 萬元。

事業的高度發展，館舍設備條件的極大改善，與辦館方針上的亂象叢生，形成了鮮明的對比，這是此時期的一大特色。亂象的突出表現有二：一是「有償服務」，二是「區別服務」，致使圖書館辦館方針形成了異變。

「有償服務」就是服務收費，也稱為「以文養文」

「經營創收」「圖書館產業化」等。這種行為當時得到了政府的提倡和有關政策的支持，迅速蔓延開來。

「區別服務」的本意是因材施教，有針對性地對不同讀者服務。但在執行中往往成了「確保重點」和變相收費的藉口，排斥廣大普通讀者，侵害了民眾平等地享用圖書館的權利。

國家圖書館的事例很能說明當時圖書館的普遍狀況。據 1999 年的報章報道，國家圖書館原來只要憑有效證件就可以到各閱覽室看書，無需辦理專門的證件，複印也無需付費。但「改革」後則必須憑該館發的各種閱覽證、借書證才能進館，不同的證件使用不同的閱覽室。辦證都要收費，僅限當日使用的臨時閱覽證收工本費一元，基本館藏庫閱覽證收工本費 10 元、押金 100 元。而且閱覽室不通用，臨時閱覽證要進入特別館藏資料室須另花三元。種種規定，不一而足。

（5）理性復歸時期（2006 年至今）

大約從 2005 年開始，我國的圖書事業呈現出大繁榮、大發展的局面。據統計，至 2020 年，全國公共圖書館數量已達 3212 所，建築面積 1785.77 萬平方米，文獻總藏量 117929.99 萬冊。這樣的發展規模不僅是多年

前難以想像的，也超過了許多發達國家。

更為重要的，是在圖書館界諸多有識之士的發起下，從學術理論到圖書館實踐，都進行了撥亂反正，實現了圖書館辦館思想方針的理性復歸，並逐步與國際化進行接軌。這一時期的標誌性起點，是 2006 年杭州圖書館、深圳圖書館新館開館，宣佈實行全面免費服務，深圳圖書館還旗幟鮮明地打出了「開放、平等、免費」的旗號；理論思想上的突破，主要反映在湖南《圖書館》雜誌於 2005～2007 年創辦的「21 世紀新圖書館運動」欄目之中。

這一時期圖書館的主要社會成果體現為兩個文件的面世：一是 2008 年發佈的《圖書館服務宣言》，二是 2011 年文化部、財政部頒發的《關於推進全國美術館、公共圖書館、文化館（站）免費開放工作的意見》。

2008 年 10 月，中國圖書館學會正式發佈了《圖書館服務宣言》。這是中國圖書館人歷史上第一次向世人表達了現代圖書館的理念，在業界內外引起很大反響。這一文件雖然名為「服務宣言」，但其思想內涵遠遠超越了圖書館服務工作的範疇，宣示了公共與公益、平等與自由、共享與合作、人文關懷等圖書館核心價值觀和職業精神，也體現了圖書館界對根本性指導思想和辦館

方針的認同和共識。

　　2011 年 2 月，文化部、財政部下發了《關於推進全國美術館、公共圖書館、文化館（站）免費開放工作的意見》。文件明確提出了圖書館保障公益、免費開放的要求，從此全國圖書館，尤其是公共圖書館進入了全面免費的時代。恰如有學者指出的，少數城市圖書館率先提出的「開放、平等、免費」的辦館方針，由學界大力倡導和部分先進圖書館的戮力踐行，到最後正式成為國家的政策，是 21 世紀中國圖書館界的最大成就。

2 「國圖事件」「蘇圖事件」和「杭圖事件」

　　進入 21 世紀以來，在全國引起廣泛社會影響的圖書館案例，主要有 2004 年的「國圖事件」，2005 年的「蘇圖事件」和 2011 年的「杭圖事件」。這幾個「事件」鮮活地演繹出中國圖書館在本世紀以來的困窘和變化。

　　「國圖事件」最為引人注目，不僅因為事件發生在國家圖書館，而且頗具代表性。

　　2004 年 10 月 14 日，暨南大學出版社副總編輯周繼武在《南方周末》上發表了《國家圖書館借書記》，

文中記載了他在國家圖書館的兩次借書經過。2004年3月，周繼武第一次前往國家圖書館借書，對國家圖書館收取閱覽證工本費、典藏書複印費等感到不滿。2004年5月，周再次前往國家圖書館查閱資料，先後因讀者卡、索書單與管理員爭執，「樓上樓下跑了三趟，折騰一個多小時」，被告知沒有書，其實他上次在國家圖書館看過此書。周繼武找到典藏部主任也無濟於事。後經一位前任副館長幫忙，才被告知書已找到。但此時距離閱覽室關門只剩下很短的時間，周繼武於是放棄再進閱覽室。經過三個多小時的折騰，周繼武最終連書皮都未能摸到。

周繼武在文章中指出，國家圖書館將國家藏書變成「奇貨可居的壟斷資源」，將圖書館借閱變成「租書」「抵押」，限制或剝奪了許多低收入者、低職位者、低職稱者、低學歷者、無職業者和外地人的閱覽權或外借權。這樣做是「對公共圖書館理念的踐踏和對中國圖書館事業的誤導」。

此文一經刊發，加上網絡媒體的迅速傳播，立即在社會各界引起強烈反響，輿論幾乎是一面倒地對周的遭遇表示同情和憤慨，並支持其觀點。與此同時，還引發了圖書館界內部的一場大討論。

　　經過反省和檢討，國家圖書館對外宣佈了相應的整改措施，包括降低借閱的門檻和限制，取消部分不合理收費，減低部分收費金額等，輿論才隨之平息下來。

　　「國圖事件」暴露了中國圖書館普遍存在的一系列嚴重問題。

　　第一，侵犯公民平等地利用圖書館的權力。圖書館非但沒有提供應有的信息資源服務，還人為地設立了很多障礙，將讀者分為三六九等，隨意拒絕服務，將把持國家資源作為一種特權。

　　第二，任意亂收費。周繼武在借閱過程中遭遇的收費就有：辦理中文借書證收費 20 元加押金 100 元，後由於檢查讀者卡又補交 100 元，辦理外文借書證要收費 20 元並加押金 1000 元，複印每頁五元（當時市場價為每頁 0.2 元），閱覽室每次閱覽收費 20 元，存包費每次 0.5 元，等等。周所遭遇到的實際上只是國家圖書館龐大收費項目中的一少部分，其他圖書館更有着五花八門的收費名目。

　　第三，圖書館從業者的職業道德和職業精神匱乏。工作人員的傲慢、冷漠，缺乏耐心、責任心，是本次事件的直接導火索。

　　第四，也是最主要的，政府部門沒有盡到應有的責

任。政府有關錯誤政策的誤導使圖書館亂收費現象成為普遍行為。仍以國家圖書館為例，政府撥款只佔國家圖書館總經費的 60%，其餘都要靠「創收」解決。這是各地圖書館亂收費現象嚴重的根本原因。

「蘇圖事件」發生在 2005 年。這年 3 月，北京大學教授漆永祥在「學術批評網」上發文披露他向蘇州圖書館古籍部提出複製或抄錄古籍的要求遭到拒絕的經過，並對蘇州圖書館的古籍服務提出尖銳批評。而後又在《中華讀書報》發文再度抨擊蘇州圖書館及圖書館界的做法。

據漆文介紹，從 2004 年 9 月到 2005 年春節，漆曾多次要求複製或抄錄蘇圖收藏的一部孤本古籍，強調願意支付一切費用。而蘇圖善本部負責人的答覆是：蘇圖對善本尤其是孤本，嚴格規定不許拍照、複製和全部抄錄，只能由蘇圖整理發表。為此，漆文對蘇圖提出了質問和批評，並呼籲社會關注讀者利用古籍的權利問題。

漆永祥的文章引起媒體和公眾的強烈反響，也引發網民的莫大關注，主流輿論均站在圖書館的對立面。還有人借用錢鍾書的諷喻，說圖書館是「守書奴」，就像太監，守着三千佳麗，自己沒有能力用，也不讓別人染指。

　　平心而論，漆永祥教授要求享受公平利用圖書館的權利本沒有錯，但蘇州圖書館保護古籍的做法也無可厚非，畢竟古籍善本有其特殊性。但這件事反映出社會公眾權利觀念的覺醒和維權意識的加強，由「臣民心態」轉變為「公民意識」，這是一個了不起的進步，是社會步入公民社會的表現，也是促進圖書館沿着正確道路健康發展的基本社會環境。

　　「杭圖事件」發生在 2011 年 1 月，這天一位網友發了這樣一條微博：「杭州圖書館對所有讀者免費開放，因此也有了乞丐和拾荒者進門閱覽。圖書館對他們的唯一要求就是把手洗乾淨再閱讀。有讀者無法接受，於是找到（館長）褚樹青，說允許乞丐和拾荒者進圖書館是

杭州圖書館

對其他讀者的不尊重。褚樹青回答：我無權拒絕他們入內讀書，但您有權利選擇離開。」

　　這條看起來不起眼的微博，在半天時間內就被網友瘋狂轉發了一萬餘條，評論近 2500 條，不少網友對杭州圖書館的做法讚歎不已，更將其稱為「史上最溫暖圖書館」。更有網友改編了阿根廷作家博爾赫斯的名言，「如果中國有天堂，那應該是杭州圖書館的模樣，乞丐坐在天堂裏，於是忘了地獄的模樣。」

　　實際上這是一條「舊聞」，因為事情發生在兩年前，而且褚樹青館長的原話是：「我無權拒絕他們入內讀書，但您有權利選擇換個區域。」這點差別雖微小，卻很重要，那位自詡「有身份」的人也是公民，杭州圖書館並沒有以任何方式讓他走開。這樣才符合公共圖書館所恪守的以公民平等權益為核心的人文價值觀。

　　這件事在社會上引起強烈反響，各大媒體紛紛報道和採訪，以致使杭州圖書館褚樹青館長成為一時的「紅人」。事實上這一理念在杭州和全國許多地方已經成為公共圖書館的共識和基本的辦館方針，但是在社會上一直沒有引起足夠的關注。公民意識的湧現，臣民意識的退場，在等待一個適當的契機。杭州圖書館的火花，點燃了公眾對公共圖書館的熱情，也讓公共圖書館

步履維艱地推行多年的價值觀有機會向全社會做一次亮麗展示。

　　短短的幾年時間，圖書館的公眾形象發生了巨大變化。與「國圖事件」和「蘇圖事件」時相比，在「杭圖事件」中，圖書館不再是眾矢之的，而是成了爭相讚許的對象，成為「天堂」的代名詞。這反映了近年來在圖書館發生的巨大變化，也說明了圖書館的努力得到了社會公眾的認可。

3　服務社會：現代圖書館的價值觀

　　作為一名現代社會的公民，我們有權利提出這樣的問題：一個社會，一個城市，一個公民，為什麼需要圖書館？我們納稅人為什麼要出錢出力建設圖書館，並長期支持其運作，我們從中能得到什麼收益和回報？這就牽涉到現代圖書館的價值觀與社會功用的問題。

　　國家圖書館在 2009 年紀念建館 100 周年時，曾向全社會公開徵集宣傳口號，最後確立的是「傳承文明，服務社會」。這八個字不僅凝聚了「百年國圖」的精髓與實質，還深刻揭示了中國現代圖書館生存和發展的意

義。如果用圖書館專業術語來表述的話,「傳承文明」就是「存儲知識」,「服務社會」就是「傳播知識」;兩者之間還有一個環節,即「優化知識」,就是對人類海量的知識資源篩選過濾,進行選擇性保存、整理和開發,形成優質的知識集合。

先從「服務社會」說起。這裏所說的「服務社會」,與其他行業所說的「服務」有很大的不同,也不等同於圖書館的讀者服務工作,如閱覽、外借、參考諮詢等。「服務社會」體現了圖書館的核心價值觀。這種價值觀可以歸納為公益、自由、平等,包括了信息與知識自由、全面開放方針、免費服務原則、職業道德精神等。這些理念是具有世界性的,與國際趨勢接軌的,不受意識形態、政治制度和國家政權等因素的影響,具有普世的價值,受到《公共圖書館宣言》等國際通行的權威文件的肯定和提倡。

從「史」的角度看,20世紀下半葉之後,尤其是進入21世紀以來,圖書館價值觀的建立可以歸結為四個轉變:(1)從階級鬥爭工具向普遍均等服務的轉變;(2)從有償服務向公益服務的轉變;(3)從封閉服務向開放服務的轉變;(4)從以書為本向以人為本的轉變。

正是在這個意義上,我們可以將圖書館,尤其是公

共圖書館，稱為「天下之公器」。公器的基本含義是「天下共用」，其典出自《莊子‧天運》：「名，公器也。」西晉郭象《莊子注》曰：「夫名者，天下之所共用。」後人因之將名位、爵祿、法律、學術等稱為「天下之公器」，如《舊唐書‧張九齡傳》：「官爵者，天下之公器」；《資治通鑑》卷一四：「法者，天下之公器，惟善持法者，親疏如一」；梁啟超《歐遊心蹤錄》：「學術者，天下之公器也。」公器一詞遂成為全社會共有、共用名物之概稱。圖書館即為典型之天下公器或社會公器。

圖書館作為天下公器，其核心就是人文關懷的精神。具體說來，就是開放，平等，免費，政府創建，公費支持。上文中已經述及，這是曼徹斯特公共圖書館的首倡，也是《公共圖書館宣言》的基本原則。一個圖書館如果具備了這些特徵，就可以稱之為現代意義上的圖書館；反之，則不是現代圖書館，或者說不是合格的現代圖書館。一個合格的現代圖書館，尤其是公共圖書館，現代社會中人文關懷、人本主義、以人為核心的民主社會價值觀可以得到充分體現。

正是基於這種認識，我們可以說：從社會的角度看，圖書館不僅是一種社會機構，還是一種社會制度。圖書館尤其是公共圖書館的存在，使每一社會成員具備

了自由、平等、免費地獲取和利用知識信息的權利，代表了知識信息的公平分配，從而維護了社會的民主和公正。圖書館存在的意義超過了圖書館機構的本身，有着無可替代的歷史使命和社會責任，向全社會宣示了現代民主、公民權利和人人平等重要的價值觀念。

如是，「服務社會」具有極為廣泛的社會意義。然而，這種圖書館的核心價值和基本精神，在我國圖書館卻是長期缺失、缺位的。

如前所述，現代意義上的圖書館，尤其是公共圖書館，是西方思想文化傳入的產物。在我國新型圖書館創建之初，限於當時的歷史條件，前輩們更多地注重圖書館的社會教育職能，引進的多是有關圖書館的方法和技術，而在一定程度上忽視了圖書館的基本精神和社會意義。1949 年後，在以「階級鬥爭為綱」的政治環境中，這些來自西方的觀念自然成為禁區。新時期改革開放為我國圖書館的發展帶來了空前的機遇，但與此同時又受到市場經濟大潮的無情衝擊，致使經營創收、以文養文、文化產業等種種弊端一時佔據主流。因此，我國圖書館先天不足、後天壓抑、畸形發展、精神缺位，是長期存在的事實。

正是由於精神缺位，致使種種弊端層出不窮。上

文所述的「國圖事件」和「蘇圖事件」這兩起有社會影響的公共事件，公眾輿論幾乎一邊倒地攻擊和反對圖書館。有些很刻薄的言辭，如將圖書館限制文獻利用的種種行為，比作太監守着三千佳麗，自家不用還不許別人動，在網上招來了一片叫好之聲。其實也不奇怪，多年來圖書館欠賬太多，積怨太深，「天下苦秦久矣」，於是這些挑頭發難的人就成了陳勝吳廣，這些具體事件就成了駱駝身上的最後一根稻草，激起了眾怒是很自然的。

在眾多的弊端中，最遭詬病的是服務收費和拒絕平等提供服務這兩個問題。

收費在圖書館並不是絕對禁止的，國外發達國家的圖書館也有收費服務項目，作為額外佔有公共資源的一種調節。但是將服務收費與圖書館「創收」掛鈎，與圖書館職工的獎金、待遇甚至工資相聯繫，則是鮮明的「中國特色」。在這樣的環境下，許多館員要靠「創收」養活自己，許多館長要靠「造血」養活職工乃至支撐整個圖書館的運作，這絕對是不正常的。這樣的圖書館，不僅失去了作為公共圖書館的精神與靈魂，也失去了社會存在、獲取社會支持的基本依據。

如果說某些圖書館在服務收費上還有些羞羞答答

的話，那麼拒絕平等提供服務就有着許多冠冕堂皇的藉口：控制借閱是為了「保護文獻遺產」，拒絕「三無人員」進館是為了「維護社會治安」，高等級圖書館不接待普通讀者是因為圖書館的「服務層次」不同，區別服務是為保障有一定級別的所謂「重點讀者」，而為領導服務則是「為了全體人民的根本利益」。這些說法看起來堂而皇之，實際上沒有一條是站得住腳的，因為它們違背了公共圖書館作為公共服務機構的根本原則。—— 順便說一下，圖書館讀者的「身份」問題是有世界性背景的，美國的圖書館在 20 世紀 60 年代前還存在種族隔離條款，是馬丁·路德·金領導的民權運動，才促使美國圖書館協會（ALA）在《圖書館權利宣言》中增加了不論讀者的種族、宗教或個人信仰均應得到公平服務的條款。

可喜的是，21 世紀以來，通過圖書館界有識之士和社會各界的倡導呼籲，幾家城市公共圖書館大膽探索踐行，以上弊端已經有了極大改觀。近年來，圖書館界已取得廣泛共識，政府也出台了多項措施和政策，將公共圖書館定性為公益文化單位，將圖書館的基本服務公益化、普遍化、均等化。有學者指出，通過業界的努力，將公共圖書館的精神、理念變為國家的政策方針，

使全國圖書館朝着正確的方向發展，是 21 世紀中國圖
書館事業發展的最大成就。

4　傳承文明：現代圖書館的社會功用

　　現代圖書館的另一重要社會價值就是「傳承文
明」。「傳承文明」與「服務社會」是互為因果的，「傳
承文明」是「服務社會」的前提和基礎，「服務社會」
是「傳承文明」的目標和歸宿。圖書館的就是要為國
家、為民族、為人類積累文明、守護文明、傳播文明，
為提高民族素質、推動社會進步提供服務。

　　圖書館之所以能夠發揮這樣的社會功用，皆由於它
擁有獨特的資源：圖書館藏書。藏書是圖書館的獨門利
器，人類文明賴此而傳承，閱讀社會賴此而建立。

　　先從幾個故事來看看古今的人們是怎樣看待圖書館
藏書的。

　　首先講講古人的事。「大漢文章出魯壁，千秋事業
藏名山」，是張掛在台灣漢學研究中心（即台灣「國家
圖書館」）的一副楹聯。個中的典故是人們熟知的，主
要包含了兩個故事：一是魯壁出書之說，出自孔穎達

《尚書序》等多部典籍，講的是西漢景帝年間在孔子舊宅的牆壁中發現儒家典籍的著名故事，這是中國學術史、思想史、文獻史上的重大事件；二是名山藏書的典故，名山是司馬遷虛構的理想文獻典藏之地，即收藏《太史公書》的地方：「藏之名山，副在京師，俟後世聖人君子」（《太史公自序》），「藏之名山，傳之其人」（《報任安書》）。魯壁出書，名山藏書，都反映了我國傳統文化中對文獻收藏的尊崇和景仰，這副楹聯懸掛在圖書館是再合適不過了。在中國傳統文化中，文獻是「載道」的，也是文明的象徵，所謂「唯殷先人，有典有冊」（《尚書‧多士》），其使命是「為天地立心，為生民立命，為往聖繼絕學，為萬世開太平」（張載），因此文獻要「藏之名山」，流傳萬代。中國民間也有「詩書繼世長」的優良傳統，以及「敬惜字紙」的質樸習俗。這就是我們祖先的文獻觀念。

再講一個現代的故事，就發生在筆者曾供職的北京大學圖書館。筆者畢業後留校工作之時，是 20 世紀 80 年代初期，北大的「派性」遺存還是很厲害的，人們相互仇視、敵對、拆台，緣起就是「文革」時結的怨。可以想見，在「文革」時期，所謂的造反派保皇派、天派地派、這個派那個派，相互「鬥爭」有多麼殘酷，傷害

又有多麼深。可是從北大圖書館的一些老館員那裏多次聽到這樣的故事:「文革」肇始時「破四舊」,紅衛兵湧入圖書館要燒掉「封資修」的書刊,而北大圖書館的藏書按照當時的標準幾乎統統都是「封資修」,應該付之一炬的。這時,北大圖書館裏正在鬥得你死我活的幾派就聯合起來,不計前嫌,日夜守護,保衛藏書,最後象徵性地燒了幾本當時正在大力批判的《燕山夜話》和《三家村札記》了事,圖書館的藏書基本沒有受損失。類似的「文革」期間保衛藏書的故事在上海圖書館和其他地方的一些圖書館也發生過。我曾為此問過一些北大圖書館的老館員,你們不是「對立面」嗎,怎麼不趁機將對方整掉?老館員聽了似乎不解:我們是幹圖書館的呀。這個故事令人感動,它體現了圖書館的職業精神和職業道德,甚至是職業本能,即對文獻的珍愛、尊崇和館藏神聖的信仰。這些圖書館員都是些普通人,他們不會先知先覺地對「文革」有什麼超出時代的認識,甚至許多人也沒有受過正規的專業教育,但他們非常值得敬仰。

再講一個故事。作為反面例證,它是圖書館乃至整個社會藏書觀念缺失的產物。此前,某地圖書館高調宣佈:借書證不再收取押金。該地政府領導放言,為

使市民多辦證、多借書，借書押金一律免除，由此而造成的圖書館書刊丟失的損失，全部由市財政增撥款項來買單。應該說，免收押金是公共圖書館一項具有重大積極意義的舉措，應予提倡推廣。中國香港和許多西方國家的公共圖書館都是不收取借書押金的，居民的誠信本身就是擔保。但該地推出的這一舉措，雖然也是用心良苦，卻讓人感覺有些不大對味兒，因為該地政府和圖書館不是尋求建立可以取代押金的信用擔保制度，而是不惜損失圖書館的文獻收藏，就如同是在給市民開粥廠、發紅包、派利是。在他們眼中，圖書館書刊的損失是可以用金錢來補償的，館藏的文獻是可以作為福利贈送給市民的。最可笑的是，享受這一「福利」的恰恰是那些品行有虧、需要教育懲戒的「雅賊」，而廣大遵紀守法的公民卻要蒙受由此帶來的損失，如加大財政開支、損失公共文獻收藏等。在這件「好事」的背後，我們看到了對圖書館觀念的錯位，對圖書館藏書認識的缺位，以及對文化遺產和文明傳承的漠視。

文獻，藏書，是圖書館的基本資源，更是圖書館社會功用的核心所在。對於文獻和藏書，國際思想學術界已經從人類歷史和哲理的角度進行了闡述。其中英國大哲學家卡爾‧波普爾（Karl Popper）的「世界

三」理論是許多人熟知的，其大意是：「世界一」是客觀的世界，「世界二」是人們的頭腦中的精神世界，「世界三」是文獻的世界。卡爾‧波普爾因此得出了一個著名的結論：如果世界毀滅了，只要圖書館收藏的客觀知識和人類的學習能力還存在，人類社會仍然可以再次運轉；但如果圖書館也被毀滅，人類恐怕就要回到洪荒時期了。意大利著名哲學家、作家安伯托‧艾可也說過：「數百年來，圖書館一直是保存我們的集體智慧的最重要的方式。它們始終都是全人類的大腦，讓我們得以從中尋回遺忘，發現未知。……換句話說，我們之所以發明圖書館，是因為我們自知沒有神的力量，但我們會竭力仿效。」

我們今天所說的圖書館藏書，既包括傳統的紙質文獻，也包括新媒體文獻、數字文獻，它們都屬於文化遺產、文明成果，都是需要圖書館收藏、傳播、保存和傳承。如何看待紙質文獻和數字文獻的發展及兩者的關係，下文再做詳細論述。

與其他形式的文獻收藏不同，圖書館藏書的特點是其系統性和長期積累，用專業術語表述，就是建立起完備的文獻資源保障體系，為的是給當代提供有保障的系統的文獻服務，也為給後世留有一份完整的全面的文化

遺產。目前還沒有任何其他社會機構在這一點上可以取代圖書館。

　　曾有不少人問過我：圖書館和書店有什麼不同？這個問題聽起來幼稚可笑，但對許多人來說卻是確確實實存在的疑惑。在某些人（也包括一些主管官員）眼中，圖書館只是茶餘飯後的文化休閒場所之一，和書店及影劇院、文化館、公園廣場等，沒有什麼大的差別。許多城市的圖書館與書店往往建在了一起，就是實例。某地一位主管領導甚至推廣其「先進經驗」：書店與圖書館「聯營」，書店給圖書館發獎金，圖書館則把書店賣不出去的垃圾書刊統統買下，於是各得其所，皆大歡喜。

　　圖書館有着比文化休閒更為重要的社會功能，除了上文提到的社會意義外，還要為社會的發展提供全面、完備、系統的文獻資源保障，並要承擔文明傳承使命。這樣的功能和使命，書店能否完成呢？不能。書店只能提供當年及近年的新書，甚至只是有銷路的新書，不會系統地按照學科、專題來收集和積累文獻，也不會提供賣不出去的書刊。同樣一本書，在書店只是商品，到了圖書館就成了館藏，而館藏則是人類文化遺產的範疇，亦即波普爾大師所說的「世界三」。館藏的使命是「為往聖續絕學」，為當代獻服務，為後世傳文明，永遠都

不能將館藏作為「紅包」派發。

那麼，憑藉個人的收藏能否建立起這樣文獻保障體系呢？應該承認，歷朝歷代的私家藏書曾經起到過非常積極的歷史作用，為文化傳承、文獻保存和文獻研究做出過重大的貢獻，許多重要的學術成果也是以此為依託完成的。但畢竟時代不同了，收藏書刊作為「雅好」可以，但不大可能憑此解決重大課題，藏書家的時代已經過去。遠在兩千多年前的古代社會，對文獻數量最為誇張的形容不過是「學富五車」「汗牛充棟」。即使當時的文獻總量如此有限，孔子還要「問禮」於「周藏室」（周王朝的國家圖書館），亞里士多德還要藉助「學園圖書館」。可以說，面對今天的出版量和社會信息量，憑藉個人的力量已經不可能建立起完備系統的文獻收藏，只能依靠社會化的分工，也就是依靠圖書館及其他社會文獻機構。這就如同生病要找醫生，上醫院，尋求專業幫助，靠個人買些感冒膠囊之類的只能對付一些頭疼腦熱的小毛病。

就行使提供文獻保障、傳承文獻遺產的功能而言，目前還沒有其他社會機構可以取代圖書館的藏書。遺憾的是，在許多圖書館這一功能卻往往被漠視了。因為被漠視的恰恰是圖書館之所以成為圖書館的最為根本的東

西,是圖書館之外其他機構無法替代的社會作用,故曰「捨本」。而「捨本」的後果是嚴重的,如今一些圖書館生存和發展都成了問題,其根源就在於此。道理很簡單,倘若公共圖書館只是着眼於提供茶餘飯後的「文化生活」,自視為休閒場所,那麼社會也會如此認知公共圖書館。這樣的結果就是逐漸「邊緣化」,游離於主流社會發展之外,有你也行,沒你也行,活着也行,死了也行,最好的待遇也只能是「後天下之樂而樂」,享受古來聖賢的境界了。

5 全民閱讀時代的圖書館

全民閱讀是當今重要的社會現象和時代特徵。全民閱讀不同於普通的閱讀,也不是通常意義上的圖書館閱讀。而圖書館卻是全民閱讀的不可替代主體,在這場大戲中扮演主要角色。

可以說當今的社會是閱讀的時代。隨着時代的發展,社會的進步,以及各種新技術在閱讀領域的應用,使閱讀的概念越來越寬泛,閱讀的內涵和外延日益在擴大。在當今的時代裏,閱讀無處不在,無時不在,因此

全民閱讀

我們可以稱為「大閱讀」時代。「全民閱讀」即由此而
產生。

弗蘭西斯・培根曾有名言：知識就是力量。而知識
最為主要的來源就是閱讀。閱讀是人們接受教育、發展
智力、獲取信息的根本途徑，事關整個社會的科學文化
品質和可持續發展能力。所以我們也可以說：閱讀就是
力量。一個人閱讀的力量，決定個人學習的力量、思考
的力量、實踐的力量；所有人閱讀的力量，決定國家文
化的力量、精神的力量、創造的力量。西方啟蒙先驅馬
丁・路德曾說：「一個國家的繁榮，不取決於它城堡之

堅固，也不取決於它設施之華麗；而是在於它的公民的文化修養，即在於人民所受的教育，人們的遠見卓識與品格的高下，這才是利害所在，真正的力量所在。」聯合國前祕書長、諾貝爾和平獎獲得者科菲・安南也有一句膾炙人口的名言：「知識是力量，信息即解放，教育是每個社會和每個家庭發展的前提。」我國著名閱讀倡導人朱永新先生曾經這樣概括閱讀的社會作用：一個人的精神發育史就是他的閱讀史；一個民族的精神境界取決於她的閱讀水平；一個沒有閱讀的學校不可能有真正的教育；一個書香充盈的城市才能成為美麗的精神家園；共讀共寫共同生活才能擁有共同語言共同價值共同願景。

這是理想的社會閱讀願景。那麼現實的社會閱讀狀況又如何呢？

有人曾經這樣形容當下的社會閱讀：「最好的時代，最壞的時代。」這裏藉用的是英國大文豪、大作家狄更斯的名言。在《雙城記》裏，狄更斯這樣寫道：「這是最好的時代，也是最壞的時代；這是智慧的年代，也是愚蠢的年代；這是信仰的時期，也是懷疑的時期；這是光明的季節，也是黑暗的季節；這是希望之春，也是絕望之冬；我們可能擁有一切，也可能一無所有；我們正

走向天堂，也正走下地獄……」狄更斯所處的維多利亞時代，正是這樣一個社會急劇發展、各種矛盾突出爆發的時代，與我們今天的社會頗有幾分相似。

這句名言也適用於今天的閱讀，尤其是圖書館閱讀。

為什麼說是「最好的時代」？我們不妨套用一句舊日陳言：國內外形勢一片大好。

從歷史發展看，促進讀書，倡導閱讀，是全世界各民族和各文明共同的文化傳統，歷史悠久，源遠流長，與人類文明的發展相始終。但當代社會的閱讀潮流，亦即「全民閱讀」的興起，則肇始於 20 世紀 90 年代前後，其標誌性事件就是聯合國教科文組織在 1995 年建立的「世界讀書日」（即 4 月 23 日「世界圖書與版權日」）。這一旨在鼓勵人們多讀書、讀好書的日子已演變成為世界性的讀書盛會，尤其是在圖書館，現在國內外圖書館都把「4．23」世界讀書日當作重大節慶。每年這一天，世界上 100 多個國家的圖書館都會舉辦多種多樣的閱讀促進活動，美、英、法、日、俄、新加坡等諸多國家設立了全國性的讀書節，而舉辦相應讀書節慶的城市更是數不勝數。許多國家和城市都把促進閱讀上升到法律高度，建立了一系列法律法規，使之成為不折不扣的國家工程、全民工程。

　　國內的全民閱讀興起並蔚然成風，也始於 20 世紀末期，與世界潮流基本同步。1997 年 1 月，中宣部、文化部、國家教委、國家科委、廣播電影電視部、新聞出版署、全國總工會、共青團中央、全國婦聯等九部委發出《關於在全國組織實施「知識工程」的通知》，發動了一場以發展圖書館事業為手段，以倡導讀書、傳播知識、推動社會文明與進步為目的文化系統工程。2004 年 4 月，全國知識工程領導小組和文化部聯合主辦、中國圖書館學會和國家圖書館承辦的以「倡導全民閱讀、建設閱讀社會」為主題的「世界讀書日」宣傳活動拉開序幕。此後每年的「世界讀書日」前後，全國各地都會開展豐富多彩的閱讀推廣活動。

　　在中央和國家政府層面，已經明確把推動全民閱讀列為重要的立國方針。2011 年中共十七屆六中全會通過的《關於深化文化體制改革推動社會主義文化大繁榮大發展若干重大問題的決定》，把深入開展全民閱讀活動作為加快城鄉文化一體化發展的重要內容。2012 年中共十八大報告明確提出「開展全民閱讀活動」。李克強總理在 2014 年十二屆全國人大第二次會議的政府工作報告中提出「倡導全民閱讀」。國內各地方政府的讀書節慶活動肇始於 1998 年在深圳開展的「深圳讀書月」。據

不完全統計，現在全國已經有四百多個城市開展了讀書日、讀書節、讀書周、讀書月、讀書季的活動。

　　再看圖書館界。開展閱讀活動已經在國內外圖書館界形成高度共識。《公共圖書館宣言》將開展閱讀活動列為圖書館的重要使命，是「公共圖書館服務的核心」之一。國際圖聯（IFLA）等國際組織的相關宣言、文件，都把閱讀放到重要和突出的位置。《中國圖書館服務宣言》則說得更為明確：「圖書館努力促進全民閱讀。圖書館為公民終身學習提供保障，促進學習型社會的建設。」

　　2006 年中國圖書館學會成立了「科普與閱讀指導委員會」，2009 年換屆時更名為「閱讀推廣委員會」。現在閱讀推廣委員會已有十五個專業委員會，委員 300 餘人，分佈於全國各地各類圖書館。多年來已經組織了幾百場次的閱讀推廣活動，造就了「全民閱讀論壇」「全民閱讀高峰論壇」等著名活動品牌，撰寫出版了數十本著作和大量研究論文，承接並完成多個相關的科研課題。現在中國圖書館學會閱讀推廣委員已經成為全國進行閱讀推廣活動的中堅力量。

　　這裏說「閱讀的最好時代」，另一重要的表現是：各種新技術大量湧現，並在閱讀中迅速得到應用，極大

地擴大了閱讀的領域，使資源極大豐富，獲取極大方便，檢索、利用手段日新月異。這一趨勢發展迅速，勢不可擋，給圖書館乃至整個社會帶來了深刻變化，也帶來了不曾遇有的發展機遇。

然而現在也是閱讀「最壞的時代」。

危機是多方面的，如社會閱讀風氣的萎靡、低落，乃至消失，不讀書或是極少讀書的人羣仍有相當的數量；娛樂致死，「不娛樂毋寧死」；信息攫取「碎片化」，缺少系統的閱讀學習；以治學為主的知識分子，急功近利，讀書淺嚐輒止，熱衷於製造學術垃圾。為此有人提出了「偽閱讀」的概念，意謂許多人不是真的在讀書，而是假讀書，尤其是一些大部頭書、古文書、外文書，不願意下工夫，只是走捷徑，淺嚐輒止，或是看一些零星的二手資料。因此，現在既是「大閱讀」時代，又是「偽閱讀」時代。

更深刻的危機同樣來自各種新技術的湧現及其在閱讀領域的普遍應用。新技術是一把最好的和最壞的雙刃劍。

新技術應用引發的閱讀嬗變和圖書館危機不是現在才開始的。早在 20 世紀七八十年代，美國著名的圖書館學家蘭卡斯特（F. W. Lancaster）就提出了一個「無

紙社會」（paperless society）的著名預言：「我們正在迅速地不可避免地走向無紙社會」，「圖書館主要是處理機讀文獻資源，讀者幾乎沒有必要再去圖書館」，「再過 20 年，現在的圖書館可能完全消失」。曾有一位崇拜者當面詢問蘭卡斯特，為什麼他的「無紙社會」預言沒有如期實現，這位大牌教授的回答是：我的預言本沒有錯，是這個社會發展錯了 —— 典型的美國式幽默。

　　儘管蘭卡斯特的預言沒有如期兌現，但新技術給圖書館以及社會閱讀帶來的衝擊是確實存在的，而且日漸明顯、急迫。因為新技術的衝擊，讀者閱讀習慣的改變，社會信息渠道日益多樣化，讀者對圖書館依賴程度的降低甚至流失，致使圖書館面臨消亡的危機，也給全民閱讀帶來了諸多的衝擊和困惑。

　　然而，無論閱讀的形勢、形態如何變化，圖書館尤其是公共圖書館依然是全民閱讀的主體。

　　圖書館作為天下公器，其核心就是人文關懷的精神。現代社會中人文關懷、人本主義、以人為核心的民主社會價值觀，在現代圖書館中可以得到充分的體現，普天下的讀書人在此可以不受阻礙地汲取知識、健康成長，從而向全社會宣示了現代民主、公民權利和人人平等重要的價值觀念。這正是全民閱讀的基本前提、中心

內容和核心目標。因此，在當今社會，圖書館是社會閱讀的主體，也是全民閱讀的主要場所。

恰如上文所述，今天的社會閱讀是個很大、很寬泛的概念。正襟危坐，「紅袖添香」，固然是閱讀，但在路邊買份書報刊翻閱也是閱讀，打開手機刷微博、看微信同樣是閱讀。全民閱讀活動並不是圖書館一家的事情。

閱讀雖然多種多樣，但是還是要提倡深入的、學習型的閱讀，通過閱讀全面系統地掌握知識，而知識就是力量，窮則豐富人生，達則改造社會。即使是大眾型、消遣性閱讀，也要提倡多讀書、會讀書、讀好書，通過有計劃、有系統地讀書，創建健康有益的文化生活。要進行深入系統的閱讀，完整全面地掌握知識，圖書館是最好的場所，甚至是唯一的場所。只有圖書館，才具有完備的文獻資源保障體系，才能為讀書人提供全面系統的文獻服務；也只有在圖書館，才能領略到完整的科學知識體系和全部的人類文化遺產，從而站在巨人的肩膀上來看這個世界。所謂「巨人肩膀」，實際上就是前人成果，就是文獻，就是圖書館。

目前還沒有任何社會機構在閱讀這一功能上可以取代圖書館。舉例講，如果某一學科或專題的有關文獻有

100篇，其研究者或學習者至少要掌握其中的80篇，還不能遺漏核心文獻，才算得上有起碼的了解，才算入門。社會上能夠提供這樣文獻保障的機構只有圖書館。這就是圖書館系統收藏的不可替代的作用。

這樣的功能和使命是其他社會機構無法完成的。上文中已經述及，書店只能提供當年及近年的新書，甚至只是有銷路的新書，不會系統地按照學科、專題來收集和積累文獻，也不會提供賣不出去的書刊。上網瀏覽固然可以獲得大量信息，但未經篩選，垃圾信息充斥，個人往往沒有能力甄別利用。憑藉個人的收藏也很難建立起文獻保障體系。面對今天的出版量和社會信息量，憑藉個人的力量已經不可能建立起完備系統的文獻收藏，只能依靠社會化的分工，也就是依靠圖書館及其他社會文獻機構。

6 數字化時代的圖書館

我國圖書館的自動化、數字化始於20世紀80年代。1988年，文化部委託深圳圖書館研製成功「圖書館自動化集成系統（ILAS）」，並在全國推廣。21世紀之

後，以電子計算機技術為代表的各種新技術陸續在圖書館廣泛應用，圖書館界對新技術的反應亦更加敏捷、更見成效，在服務創新、管理創新上愈加豐富多彩，也愈加多元化。中國圖書館已經進入了數字化的新時代。

近年來實施的具有較大社會影響的數字化和新技術項目主要有：

（1）中國高等教育文獻保障系統，英文簡稱 CALIS。另有與之配套的中國高校人文社會科學文獻中心（CASHL），大學數字圖書館國際合作計劃（CADAL）。CALIS 是國務院批准的高等教育總體規劃中三個公共服務體系之一，共有三期，第一期於 1998 年開始，第三期於 2011 年結束。

（2）全國文化信息資源共享工程。2002 年 4 月由文化部、財政部共同組織實施。主要內容是利用現代信息技術，將中華優秀文化資源進行數字化加工整合，通過互聯網、衛星、電視、手機等新載體，依託圖書館、文化站等文化設施，在全國範圍實現共享。

（3）城市街區 24 小時自助圖書館。2007 年由文化部立項，深圳圖書館研製開發。它是集數字化技術、無線射頻識別技術（RFID）、自控分揀技術等於一身，為城市居民提供 24 小時不間斷借閱服務。2008 年研製成

功，2009 年文化部召開全國會議進行推廣。

（4）數字圖書館推廣工程。2011 年由文化部、財
政部推出，國家圖書館牽頭，目標是建設公共文化資源
庫羣和數字圖書館服務平台，實現數字圖書館服務惠及
全民。

　　那麼，在數字化大潮的席捲下，圖書館閱讀方式會
有哪些變化，與我們這些普通讀書人又有什麼關係呢？
相信有人會提出一系列疑問，現在已經進入網絡化、數
字化時代，圖書館是否還是社會閱讀的主體，是否還具
有不可替代的社會價值和功用，我們是否還要到圖書館
讀書？

　　這種疑惑不足為奇。各種新技術手段進入閱讀領域
以來，使我們的社會出現了截然不同的兩個閱讀羣體，
或者是兩種閱讀觀。一部分人極端地依賴各種新技術來
獲取信息，出現了網絡控、手機控、微博控、微信控一
族人，他們幾乎從不閱讀傳統紙質文獻。這些人以年輕
一代的「新新人類」居多，也有部分對新技術較為敏感
和熱衷的中老年人。

　　另有一部分人則極端地抵制新技術，拒絕任何新媒
體文獻，其中不乏深具影響的大家。這裏且舉兩個例子。

　　一是王蒙先生。2012 年在東莞召開的「2012 中國

圖書館年會」上，王蒙先生在閉幕式上做了題為《現代性文化與閱讀》的演講。這篇演講的結論性意見是：「讀書是不能替代的，不能用上網替代，不能用看 VCD 替

數字閱讀

代，不能看 DVD 替代，不能用敲鍵替代，甚至也不能用手機和電子書來替代。……正是最普通的紙質的書，它表達了思想，表達了思想的魅力，表達了思想的安寧，表達了思想的專注，表達了思想的一貫。因此圖書館是一個產生思想的地方，是一個交流思想的地方，是一個深化思想的地方。」

另一位是易中天先生，他的表達更為妙趣橫生。當談到數字媒體是否會代替傳統出版物的時候，易先生激動地說：「完全替代是不可能的。那種用手觸摸精裝書籍的美好觸感，電子閱讀永遠無法代替。經典作品還是要靠紙質媒介呈現，就像滿漢全席，能用塑料盤子裝嗎？」

　　無論是王蒙先生、易中天先生，還是「新新人類」，閱讀傳統紙質文獻還是新型數字文獻都是見仁見智的事情，各取所需即可。但對於圖書館來說就不同了，有許多迫在眉睫的問題要解決，如紙本資源收藏與否、傳統文獻與數字文獻的關係、比例問題，就很現實地擺在圖書館面前，都是圖書館不得不面對，不得不拿出解決的思路、方案。

　　在這個問題上，國內圖書館界有着截然不同的看法，並出現了一南一北兩位「腕兒級」的代表人物。一位是北京國家科學圖書館張曉林館長。他多年大力倡導「電子文獻先行」（e-first）、「網絡先行」（i-first），有人說他恨不能將所有紙質文獻統統請出圖書館。另一位是廣東中山大學的程煥文館長。他的宗旨是「保留一切有價值的紙片」，恪守紙質文獻的核心地位。

　　那麼，這兩位「大腕兒」我們到底應該聽誰的呢？也就是說，我們的圖書館應該如何應對社會閱讀的變化和需求呢？正確的主張是兩點：一是思想要敏銳，認識要超前；二是行動要保守、謹慎，尤其是涉及採取破壞現有資源和現有服務模式的措施，一定要緩行、慢行、三思而後行。

　　圖書館應該緊跟社會趨勢和技術潮流，但是遇到具

體問題，就一定要採取慎重的態度。例如前面所述的選擇數字閱讀還是紙本閱讀，在個人來說是各有所好、見仁見智的事，但對圖書館就不一樣了，因為涉及圖書館的館藏模式和服務方針這樣的根本大計，必須要有清醒認識和正確對策。至少在目前，圖書館的紙本文獻仍然是不可缺少的，仍然要實行數字文獻和紙本文獻並存的方針。我們這樣講，主要是基於以下兩個現實的因素。

（1）社會紙質文獻資源極為豐富，還沒有被數字文獻完全取代。圖書館有「傳承文明」的社會責任，要為後人留下完整全面的文化遺產，因此不能捨棄紙本資源。

（2）讀者對紙質文獻的需求很大，尤其是公共圖書館，我們不能忽略普通讀者尤其是底層民眾對傳統文獻的現實需求。

後者涉及圖書館的人文關懷，因此必須強調。且舉一個筆者個人經歷的來做例證。在 20 世紀 90 年代初期，筆者在北京大學供職，當時北大圖書館宣佈取消原有的卡片目錄，全部採用機讀目錄（MARC）。這在全國高校圖書館是首家，我們都很以為榮耀，當時在圖書館界也是一件重大的事情。不久後到美國出訪，得知了另外一個故事：在美國的一家大學，當時也曾計劃取消卡片目錄，但是因為有幾位教授從不肯使用電腦，圖書

館最後決定卡片目錄依然保留。兩種做法，反映了兩種態度，兩種考量。且不說其是非對錯，畢竟現在圖書館大多已經不再使用卡片目錄了，但無疑美國這家大學的做法更具有人文關懷的精神，而不是技術至上主義，不是為技術而技術、為現代化而現代化。這正是我們所缺乏的。

　　毫無疑問，今後的世界，紙張和紙質文獻還會繼續存在並發揮作用，不會馬上消亡。但是如同槍械出現了弓箭還會存在，電燈出現了蠟燭還會存在，汽車火車出現了馬匹還會存在，其地位和意義卻是不一樣的。畢竟社會已經進入到信息化、網絡化、數字化的時代，社會閱讀也好，圖書館也好，都會發生重大的嬗變。

　　然而，變中亦有不變，萬變不離其宗。在網絡化、數字化時代，圖書館獨特的、不可替代的社會作用非但沒有減弱，反而更加強化了。這是因為圖書館為社會提供了豐富實用的數字資源。與互聯網上良莠並存、未經篩選的信息不同，圖書館收藏和提供各種的數據庫，如同圖書館的藏書一樣，是經過精挑細選和專業化整理揭示的，因此是最重要、最實用、最具價值的信息資源，而且大都是免費提供使用的。即使是所在的圖書館數據庫不夠齊備，使用者另有需求，現在圖書館大都可以通

過各種圖書館協作關係和資源共享平台，利用其他圖書館的數據資源，這些服務都是無償提供的。無論是普通讀書人，還是讀書治學者，圖書館數字資源都是基本資源和首要選擇。遺憾的是，現在圖書館的數字資源利用率普遍偏低，許多人包括一些大學者，不知道、不會用或不善於利用圖書館的數字資源，是常見現象。

剛才說到的王蒙先生、易中天先生兩位大家的言論，不妥之處就在於此。兩位先生的人品才學值得敬重，但他們在現代文獻、尤其是圖書館收藏的各種數字資源方面表現出的偏執卻不足取。在現代社會，對於治學之人，推而廣之到一切利用文獻為學的讀書人，一定要學會利用數字文獻，其中主要是圖書館收藏的各種數字資源。作為一名現代學者，這是已經成為必不可少的學術功力。

筆者曾在各種場合多次表述這樣的觀點：我們之所以堅信當今已經進入數字閱讀的時代，數字閱讀會取代傳統閱讀成為社會閱讀的主體（不是全部），最為重要的依據，就是今天的圖書館已經初步建立起系統完備的數字資源體系。在目前社會上，還沒有其他社會機構擁有這樣完備的數字資源，這樣系統的數字閱讀保障，這樣全面無償的服務。圖書館之所以能夠如王蒙先生所

說，是產生思想、交流思想、深化思想的地方，不僅僅是因為有傳統的紙質藏書，今天還要有賴於這些足不出戶即可坐擁天下資源的數據庫集合。

很難想像當今社會的治學者能夠脫離圖書館的數字資源來搞科研、做學問，就是追求全面系統閱讀的普通讀書人，也不應忽略這一高效便捷、人皆可用的途徑。不管閱讀習慣如何，都沒有理由說圖書館的數字資源不能「表達思想」，都不能否認這些數據庫集合是無比豐盛的「滿漢全席」，更不可無視或拒絕利用這些全體公民都有權利享用的公共資源。圖書館數據庫中有最新的科技論文和學術成果，最新的學術著作，也有《四庫全書》這樣的古籍原始文獻，如果說這些不是「高大上」的滿漢全席，什麼才是？

曾有一位史學研究者說過，只要學會利用各種圖書館數據庫，每個研究者在佔有資料上都可達到陳寅恪先生的水平。這是深得個中三昧者之言。

王蒙、易中天等人之所以有這樣的看法，源於這樣一種流行的思維定勢：在電腦、網絡或手機上閱讀都是「淺閱讀」，一卷在手才是讀書。此乃無稽之談。從歷史上看，人類使用過幾乎一切可以用於記載圖文的介質，如竹、木、絹、石、草、葉、泥、青銅、陶瓷、獸

皮等，直到後來才普遍使用紙張。在使用這些載體的時候，人類的文明都曾輝煌發展，如紙莎草時期的古埃及文明，泥版文書時期的兩河流域文明，簡策時期的商周秦漢文明。而後來之所以選擇紙作為文獻載體，原因在於其廉價易得。可以肯定，如果有更便捷、更廉價的載體，人們的選擇肯定會發生變化，而且這個變化現在已經發生了。在現有的圖書館各種數字資源中，幾乎囊括了一切文化科學成果，這一切都不是「淺閱讀」可以解釋的。

記得在筆者幼年的時候，家中有位學養深厚的長輩，對當時出版的書刊深惡痛絕，在他眼裏中，中文用簡體字從左至右橫排出版，乃豈有此理之事，「數典而忘其祖」，因此斷言我們這一代將為此變得沒文化。還有一位長輩的長輩，從不讀西式裝幀的書籍，只看線裝書。時至今天，事實證明，文明依然以新的形式得到傳承。現在每當我聽到一些人對年輕人偏愛電子閱讀而橫加指責時，就會想起幼時的這些「杞憂」。

歷史上也曾發生過保守的士大夫鄙視紙張這個「新媒體」的事情。在東漢年間，有個叫崔瑗的官員送給朋友《許子》一書，因為是用紙抄寫的，而不是用當時上層社會使用的縑帛（素），就寫信致歉。《全漢文》記載了這封信的全文：「今遣奉書，錢千為資。並送《許

子》十卷，貧不及素，但以紙耳。」崔瑗寫此信時應在
蔡倫造紙成功之後的二三十年，當時社會主流還看不起
紙張這個新載體，以至崔瑗還要為「貧不及素，但以紙
耳」道歉。這與當今某些所謂的讀書人看不起數字媒體
何其相似。然而「簡重而帛貴」，必為新生的紙張所取
代，就在其後不久，至遲在魏晉南北朝時期，紙張就成
為主要的書寫材料。

　　為此，我由衷相信，即使有一天紙質文獻真的消
亡，電子文檔獨步天下，天也塌不下來。

　　我們生活在一個日新月異的高科技時代、信息化時
代、數字化時代，我們將有幸見證歷史文化的滄海桑田
之變。數字閱讀的產生、發展和演變，就發生在我們的
身邊，與我們每個人息息相關，而且每日每時都在急劇
變幻。為此，雖然不能確定上文中論點都是正確的，卻
能肯定地說：生活在這樣一個風雲變幻的時代，真好！

7 現代化的範例：深圳圖書館

　　深圳圖書館（以下簡稱深圖）是在深圳經濟特區建
立後興建的「八大文化設施」之一，建成於 1986 年。

　　作為一所新興的副省級城市圖書館，深圖遠稱不上歷史悠久，也不是什麼行業的龍頭老大。但由於植根特區的沃土，憑藉改革開放的東風，深圖堪稱是我國圖書館現代化進程的典範和縮影，藉此一斑可窺全豹。因此這裏將深圖作為一個範例，對本章重點論述的探索踐行現代公共圖書館理念和應用現代化新技術這兩個問題做一實證解析。

　　如前所述，圖書館的基本精神和核心價值觀在我國圖書館長期缺位，弊端叢生。深圖作為中國的公共圖書館，其服務理念的形成和發展離不開國內整體發展的歷史環境，也無例外地經歷了這一歷史發展過程。種種問題和弊端，深圖都曾經程度不同地存在，有的情況還十分嚴重。

　　深圖自建館以來一直將開放作為旗幟，多年來走在全國前列。但當時所標榜的開放，主要是指開架服務，如全部文獻均實現了開架，不設閉架書庫，這些做法在那個年代是開風氣之先的。然而當時辦理借書證只限於戶籍人口，在深圳居於大多數的非戶籍外來建設者是不在此列的。有些閱覽室（如港澳台閱覽室）要限定一定級別的讀者。顯然，這些做法與我們今天所說的開放、平等還有着很大的差距。

深圳圖書館

　　為了糾偏，深圖適時地採取了一系列的措施，主要有免證進館、不分戶籍敞開辦理借書證、向所有人開放所有閱覽室等。為了讓市民了解這一的方針，深圖負責人還曾多次對媒體宣稱：「深圖向所有讀者敞開大門。無論你的身份、地位如何，有沒有工作、戶口、住房，衣着是否鮮亮，囊中是否羞澀，既然來到圖書館，就是渴求知識，擁抱文明，都會受到一視同仁地熱情接待。」這與杭州圖書館敞開大門歡迎乞丐入館是同出一轍的。

　　但要全面貫徹這一方針還是遇有不少阻力。如，深圳當時嚴格執行非戶籍人口辦理暫住證和邊防證的制

度，否則一律按照「三無人員」收容並遣送回原籍，圖書館免證進館的做法明顯與這一規定不符，因而受到了有關部門的非難。再如，全面免證開放也使得不少小偷、流氓及精神病患者也到圖書館來為害，加大了安保管理的難度。但無論如何，深圖還是克服困難堅持了下來。

最為困難的還是糾正「有償服務」的弊端。由於多年實行「以文養文」政策導向，形成了「十億人民九億商」的局面，機關和事業單位「創收」成為一時風氣。在當時的深圖，服務收費也是「創收」的重要內容。各服務部門收入多少是按收費比例提成的，多掙多得，於是部主任們都各顯神通賺錢，為職工發獎金成了他們的頭等大事。這件事直接牽涉職工利益，且積重難返，改正談何容易，任有天大的「理念」，現實中也寸步難行。

深圖採取的是抓住時機、適度推行、逐步改進的方針。首先，對有償服務項目進行了整頓，杜絕未經批准的亂收費行為，由於創收不足而造成獎金減少的部門由館裏補貼。2005 年初，全市事業單位實行獎金改革，由市財政發放統一標準的崗位津貼。藉此良機，深圖基本取消了所有的有償服務項目。部分需要保留的收費項目，嚴格實行「收支兩條線」，全部上繳財政，不再和職工的獎金福利掛鈎。

　　2006 年 7 月，深圖新館落成開放。深圖領導團隊充分利用這一時機，努力將多年來他們對公共圖書館的理解和探索融入到新圖書館之中，全力打造一個「真正的公共圖書館」。在業界，深圖祭起了「天下之公器」的旗幟，從理論上澄清有關公共圖書館的諸多問題，探索公共圖書館的精神實質。對外宣傳上，提出了「開放、平等、免費」的口號。一時間，「開放、平等、免費」成為業界內外關注和熱議的焦點話題。

　　其中公眾最為關心的熱點還是免費服務，為此深圖還提出一個更為生動形象的提法：到深圖不用帶錢包。一時媒體爭相報導，市民街談巷議，公關工作很是成功。深圖實行的是徹底、全面、真正的免費服務，就連一般准許收費的如讀者證工本費、讀者年審費、上網費等也都免掉了。讀者涉及的費用實際上只有兩項，一是象徵性的外借押金，中文文獻外借五冊押金 100 元，外文 200 元，因為社會還沒有建立起完善的誠信制度；一是逾期滯納金及書刊損壞賠償金，因為還要維護全體讀者利益，為國家財產和公共藏書負責。

　　深圖的辦館理念和實踐在全社會產生了積極而深遠的影響。無論是有關領導、業界專家，還是媒體、市民，都對此給予了積極的評價，甚至一時蔚成社會風

氣。此後不久，深圳的各大文化場所都陸續免費對公眾開放，全國有多家省市級公共圖書館也相繼宣佈實行免費服務或減少服務收費，就是那些不肯轉向的也不敢那麼理直氣壯無所顧忌了。這些都與深圖的率先作用有關，在社會公益服務這個事關圖書館根本大計上，捅破了窗戶紙，撕開了遮羞布。深圖是國內探索和實踐公共圖書館精神及公益文化服務的先行者，起到了為天下先的作用。至 2011 年文化部、財政部文件下發後，全國公共圖書館基本服務全部實現了免費。

現代化圖書館離不開新技術手段的支撐。深圖將「技術立館」作為重要方針，並多年保持在現代技術應用上的優勢。

建立技術立館的方針，並不是什麼人先知先覺、高瞻遠矚提出來的，而是由於歷史的缺憾造成的，或者說是一種不得已的選擇。深圖 1986 年建館，只有 35 年的歷史，屬於新建館、後起館、後來者。與國內許多業已建館一百多年的大館、老館相比，失去了許多歷史機遇，顯得先天不足。譬如，沒有可稱為「鎮館之寶」的珍稀館藏，沒有多少獨特的資源，也缺少深厚的業務傳統。後來者如何居上，怎樣才能躋身大館、強館的行列，就成了擺在深圖面前的重要課題。為了把歷史的缺

憾變成歷史的機遇，變弱勢為強勢，深圖走上了技術立館、技術強館之路，亦即現代化圖書館之路。

在應用新技術建設現代化圖書館的道路上，深圖完成了多個突破性的重大項目：圖書館自動化集成系統（ILAS），聯合採編協作網（CRLNet），無線射頻識別（RFID），以及城市街區 24 小時自助圖書館（SSL）。從中不難窺見全國圖書館經歷的現代化軌跡，以及蘊含其中的現代圖書館理念及人文關懷精神。

（1）圖書館自動化集成系統（ILAS）

圖書館自動化集成系統（Integrated Library Automation System，簡稱 ILAS）。ILAS 是 1988 年文化部下達的重點科研項目，由深圖負責開發研製。當時從全國各地圖書館先後抽調了數十名業界精英到深圳會戰，後來這些人很多成為深圖技術和管理上的骨幹。二十多年來，ILAS 從 1.0 到 5.0，又相繼發展了 ILAS-Ⅱ、d-ILAS(ILAS-Ⅲ)，以及公共版、大學版、企業版、小型版、Big5 版、Unicode 版，以及相關的 LACC（集中採編）、UACN（聯合採編），已經成為適合各種需要的圖書館自動化系列產品。開發、研製和推廣 ILAS，篳路藍縷，艱苦奮鬥，成為深圖歷史上濃墨重彩的一頁。

　　ILAS 是中國圖書館自動化的里程碑。可以說，沒有 ILAS，就沒有中國圖書館自動化、數字化的今天。正是 ILAS，給國內成百上千的圖書館帶來了自動化、數字化的觀念和技術，使他們由此走上了現代化圖書館的道路。這裏僅舉一個非技術的例子。最初 ILAS 的售價只有人民幣 5000 元左右，而同時期國際通行的圖書館軟件、美國 INNOPAC 系統的價格是 50 萬美元，每年還要花兩萬美元的維護費。這個價格是當時國內任何一家圖書館都無法承受的，只是到了 21 世紀之後，才陸續有經濟發達地區的公共圖書館和部分著名大學圖書館具備了引進國外系統的經濟能力。僅僅在這個意義上，ILAS 也將中國圖書館自動化事業推進了至少 10～15 年。

　　ILAS 是國產圖書館自動化軟件的驕傲，創建了多個「最」和第一。它是國內首個獨立開發、具有自主知識產權的圖書館自動化系統。ILAS 的用戶有 3000 家左右，這個數字也是世界之最，超過同期國內外同類的圖書館自動化系統。ILAS 問世以來，共獲得國家級和省部級的大獎計 11 項，這在全國圖書館界乃至整個文化系統也位居第一，其中包括國家科學技術進步三等獎、國家科學技術進步（推廣類）三等獎、聯合國 TIPS 系

統頒發的科技之星獎等含金量很高的重要獎項，因此有人戲稱 ILAS 是「獲獎專業戶」。

最值得稱道的，還不是 ILAS 的技術成果和諸多獎項，而是它成功的產品化進程。在 ILAS 問世的同時，國內也有過類似的研製開發。筆者當時供職的北京大學，就至少研製過三個圖書館軟件，其中兩個屬於學校正式下達的任務，筆者作為課題組成員自始至終參加了這兩個項目。課題組是學校從計算機系、計算機所和圖書館當中選派的尖子人才，技術力量絕不比 ILAS 差，研製的成果也具備了相當高的水平。但成果問世後，大家只熱衷於報獎項、分獎金、評職稱，軟件束之高閣，無人問津，就是在北大圖書館也沒有正式應用。而 ILAS 則迅速完成了產品化的進程，並及時推向了全國乃至海外。所以說 ILAS 的成功很大程度上是產品化的成功，又靠產業化推動自身的不斷發展，這無疑受惠於深圳經濟特區特有的觀念、制度和政策。

（2）聯合採編協作網（CRLNet）

聯合採編協作網的正式名稱為「地方版文獻聯合採編協作網」，英文名稱為 China Regional Libraries Network，簡稱 CRLNet。從實際運作上看，英文名稱更合乎其實

質，因為協作網創建者的着眼點始終是各地方圖書館在書目數據上的整體合作，而不是侷限於什麼「地方版文獻」。

　　CRLNet 的創建者是深圳圖書館、湖南圖書館、福建省圖書館、上海圖書館、天津圖書館、遼寧省圖書館等六家圖書館。實際上深圖是真正的首創者、組織者和執行者，也是全國的書目數據中心和數據質量控制中心。

　　事情的起因在於業界面臨的共同難題。大家知道，圖書館的核心業務之一就是圖書編目，編目的結果，過去是卡片式目錄，計算機化之後是機讀目錄（MARC）。各個圖書館都在為完成編目任務而疲於奔命，卻無法有效利用他人的成果，也無法將自家的數據與他人共享，書目數據難以互相利用，全國的圖書館實際上都在下大氣力重複同樣的工作。

　　這個道理簡單而明了，卻由於行政體制等原因，在中國就是無法有效實施。當時國際上已經有了行之有效的聯合編目模式，例如美國的 OCLC（圖書館聯機計算機中心）模式，可資借鑒，為我所用。於是在深圖的倡議下，六家圖書館一拍即合，於 2000 年在深圳開會，簽訂了協議，當年 12 月 CRLNet 正式開通。如今，CRLNet 已發展了香港、廣西、浙江、廣州、北京、吉林、黑龍江等多家單位成員館，形成了一個超過 200 萬

條記錄的網上書目數據庫。據統計，數據覆蓋率回溯數據可達90%，新出版圖書可達70%。

現在看來，CRLNet已經完成和超額完成當年預期的目標。首先，按照國際先進的理念和通行的模式，突破了多年的瓶頸，建立起平等協作、互利互惠、實時上載下載並由執證編目員控制質量的一整套制度和技術保障，形成了美國OCLC之外最大的中文編目網和中文書目數據庫，而且很長時間裏在全國速度最快、效率最高。其次，從實際功效上看，解決了成員館的編目難題，實現了書目資源的共建共享。僅以深圖為例，編目數據中有90%是由CRLNet提供的。要知道，與2000年CRLNet建立時相比，深圖的購書經費增長了五倍多，可以說，如果沒有CRLNet的支撐，就無法完成如此驟增的工作任務。

正是由於這些原因，CRLNet在2005年榮獲了文化部首屆「文化創新獎」的殊榮，這也是該年度唯一獲獎的圖書館項目。CRLNet與ILAS不同，後者只是一個圖書館的內部工作系統，旨在完成圖書館的書目數據編製任務，不大可能有突出轟動的社會效應。這項文化系統的最高榮譽授予了CRLNet，說明了社會各界對這項成果的高度認可與充分肯定。

（3）無線射頻識別（RFID）

無線射頻識別，即 Radio Frequency Identification，簡稱 RFID，亦稱電子標籤。從技術上講，RFID 是一種非接觸式的自動識別技術。大家知道，原來圖書文獻是憑藉條碼掃描進行電腦識別的，採用 RFID 技術就是要轉換成新的標識系統。近年來，RFID 在物流等多個領域得到了較多使用，有着廣闊的應用前景和良好的發展勢頭，但在圖書館領域應用的時間並不算長。深圖是國內首家大規模全面應用 RFID 技術的大型綜合性圖書館，可以說，RFID 在國內的應用歷史是從深圖開始的。

正因為是首家，就難以避免首家的煩惱。大約在 2002 年前後，深圖新館應用 RFID 的問題就被列入日程，決策卻頗費躊躇。因為當時在圖書館使用 RFID 還屬於非主流，不光國內尚無先例，在國外也不多，且大多為中小型圖書館，諸多的大館、名館都沒有使用。深圖的管理者及業務、技術骨幹對此也不熟悉，基本上是從頭學起的。一旦決策失誤，使用失當，不僅 2000 萬設備預算打了水漂，全館的整個業務管理和館藏體系也會打亂，後果不堪設想。經過多次考察、論證，最後深圖管理團隊下決心上馬，並在 2006 年 7 月深圖新館試開館時全面啟用。RFID 在深圖的應用取得了巨大成

功，事實證明，當初決策是正確的，是有遠見的。

RFID 技術在深圖的成功，主要表現為三個方面。

首先，開創了 RFID 技術向圖書館應用專業化轉變的新局面。RFID 本不是為圖書館度身定做的，需要一個適應圖書館「水土」的過程。這點很像當年 IT 走進圖書館，開創了圖書館自動化、數字化的新領域。深圖創造性地應用 RFID 技術促進了這種轉變，同時也利用 RFID 實現了許多業務上的創新，其中很多都是獨創，絕不僅僅是條碼的替代品。

其次，開發了「文獻智能管理系統」。這一系統的研製與應用，使全館上百萬以開架方式為主的傳統文獻得到了高效的管理和應用，使得在原來條碼識別管理下無法解決的難題，如文獻定位導航、減少錯架亂架、實現精確典藏等，都得以圓滿實現。其中不乏首創，如排架方式的革新，研製了智能書車等。這就實現了當年應用 RFID 的初衷：不僅僅將其視為條碼的代用品，不是為應用而應用，而是作為契機和手段，創造性地打造智能化的環境，讓全社會受益，讓讀者受益，讓全館業務工作和管理工作受益，為今後發展奠定基礎。

再次，開創了以自助服務為主的服務模式。這是深圖對外服務中最為彰顯的一種嬗變，乃至形成了深圖的

服務特色。自深圖新館開放以來，以 RFID 技術為依託
的自助服務模式和各種自助服務設施受到了讀者的熱烈
歡迎。深圖新館開館後，外借量驟增，日均約計 1.2 萬
冊，周末高峰時曾達三萬冊，如此巨量的工作有 95%
是由自助外借設備完成的，而幾乎所有的還書量都是通
過自助方式完成的，還有自助還書設備在圖書館門外
24 小時工作。可以想像，如果沒有自助借還模式和自
助服務設施，每日上萬的讀者在服務台前排隊借還書，
會是怎樣不堪的局面。

　　RFID 技術在深圖的創造性應用還產生了又一個更
為重要的成果，就是「城市街區 24 小時自助圖書館系
統」（SSL）。

（4）城市街區 24 小時自助圖書館（SSL）

　　深圖研製開發自助圖書館的工作始於 2006 年年
底。自助圖書館全稱是「城市街區 24 小時自助圖書館
系統」，這本是文化部立項課題的名稱，後來就這樣沿
用了。許多同行和媒體喜歡將其稱為「圖書館 ATM」，
但項目負責人曾多次表示反對，因為 ATM 的意思是
Automated Teller Machine（自動櫃員機），聽起來像是
冷冰冰的機器（Machine），這不是研製的原意和追求。

自助圖書館

究其本意，應該是建立人性化的、有人情味兒的、具備圖書館各種功能的、活色生香的圖書館。後來為其擬定的英文名稱是 Urban Neighborhood：A Self Service Library（都市街鄰：自助圖書館），簡稱 SSL，較好地體現了研製者的初衷。

什麼是「城市街區 24 小時自助圖書館系統」？可以做如下簡單的描述：它以人文關懷為主導，以服務創新為目標，集成了 RFID 技術、圖書傳輸自動控制技術、圖書分揀自動控制技術、數據通信和數據處理技術，以及相關的安全技術和生產工藝於一身，是人性化、數字

化、智能化與傳統圖書館的完美結合。該系統實行不間斷工作，使全市讀者均可享受到 24 小時的圖書館服務。

　　具體講，自助圖書館主要由自助服務機、圖書館服務與監控中心系統和物流管理系統等三部分構成，其核心設備是自助服務機。

　　在自助服務機上，幾乎具備了圖書館全部的服務功能：

　　——申辦新證。讀者可通過第二代身份證自動進行識別，存入借書押金後，即可辦理圖書館讀者外借證，不需外借則不必存款。全部過程不到十秒鐘。

　　——自助借書。持證讀者可以憑證借取自助服務機書架上的所有圖書，如同在圖書館內借書一樣。

　　——自助還書。讀者在圖書館借的書，或在自助服務機借的書，均可以歸還到任何一個自助服務機。所還圖書實行自動分揀，分類送達。

　　——預約服務，包括提出預借請求和按照預約通知取書，可以預借目錄中的館藏文獻，並在規定時間在全市任何一台讀者指定的服務機中取書。通過這一途徑，讀者可以不受服務機藏書數量的限制，直接利用深圖的藏書和全市各圖書館的館藏。這樣就解決了自助機存書數量較少帶來的種種不足。

　　—— 查詢服務，包括本機和全市各服務機目錄查詢、深圖館藏目錄查詢和讀者信息查詢（包括讀者基本信息、外借情況、欠款、預借文獻等），以及作為終端直接讀取館藏數據庫。

　　圖書館服務與監控中心系統支撐自助機的後台運作，可實時跟蹤每台自助機的運行狀態，當出現圖書和讀者證不足、還書箱和錢箱已滿、自助機故障或遭到破壞時，都會做出響應，自動通知物流管理人員及時解決。物流管理系統承擔自助圖書館的圖書配送和日常管理工作，由中標的物流公司配備專門的流動書車來實現文獻適時配送。

　　自助圖書館的問世，首先得益於深圖長期以來堅持的技術領先的方針。深圖自從建館以來，就堅持走技術立館、技術強館的路線，逐漸形成了強項和優勢，並成就了一支過硬的技術團隊，其中不乏卓越人才，其特點是對各種新技術敏感，又充滿熱情。

　　從技術上講，深圳自助圖書館的直接技術起源是無線射頻識別（RFID）技術的應用。RFID歷經波折在深圖上馬後，效果出乎意料的好。新館開館後，各種基於RFID技術的自助設備大顯神通。隨着RFID在深圖的應用逐漸得到業界的認可，國內和港澳圖書館因之效

法的也多了起來，由此萌生了研製自助圖書館的創意。所以說，RFID 是自助圖書館問世的技術前提和技術基礎，也是自助圖書館存在和發展的技術環境。

比技術問題更為重要的，是樹立人文關懷的理念。如前所述，研製者理想中的自助圖書館絕不是「機器」的概念，而更像是一位活生生的館員，慈眉善目，憨態可掬，熱情周到，全知全能，除了借書還書，還可以辦證、諮詢、檢索、收取押金、辦理預借業務、查檢各種數據庫；同時，還要體現出現代化圖書館的特徵，用先進技術服務市民，通過一台自助機，即可利用深圖幾百萬的資源乃至全市圖書館的幾千萬資源。這些目標後來都通過各種技術手段實現了。從根本上說，自助圖書館不是為技術而技術、為創新而創新的，不是要「顯擺」「嘚瑟」什麼，而是在盡公共圖書館應盡的社會職責，做公共圖書館分內應該做的基本服務，進而彰顯公共圖書館人文價值觀。

深圳圖書館研製開發自助圖書館的進程大致如下：

2006 年年底，研製工作啟動；

2007 年 3 月，列入《深圳市建設「圖書館之城」（2006～2010）五年規劃》；

2007 年 6 月，列為文化部科研項目和深圳市重點

文化建設項目，正式定名為「城市街區 24 小時自助圖書館系統」；

　　2007 年 12 月，選定深圳市海恆智能技術有限公司為項目合作夥伴；

　　2008 年 4 月，首台自助圖書館服務機問世，並通過文化部組織的專家驗收；

　　2008 年年底，首批十台服務機投入運行；

　　2009 年 4 月，40 台服務機投入運行；

　　2009 年 10 月，獲第三屆「中國文化創新獎」，並被列入「國家文化創新工程」；

　　2009 年 12 月，文化部在深圳召開了宣傳推介自助圖書館的全國會議；

　　2010 年，獲文化部第十五屆「羣星獎」。

　　在深圳之外的其他城市及海外，據保守估計，已投放運行的自助圖書館應不少於 200 台，分佈地區至少有北京、上海、廣州、瀋陽、鄂爾多斯、西安、鄭州、馬鞍山、杭州、貴陽、廈門、福州、昆明、台州、三亞、香港、澳門，中國台灣以及英國、法國、韓國等國。

　　展望深圳街頭，現有 255 台自助圖書館在深圳城鄉運行，逶迤而有儀，已經成為一道亮麗的城市文化風景線。曾有一位女市民動情地對深圖的工作人員說，自己

在深圳發展不順利，正在考慮回老家，但使用了自助圖書館這樣便民服務設施，而其他地方都沒有，就改變主意不走了，留下做一個深圳市民。自助圖書館項目問世後得到過多次領導表彰和各種獎項，但這位女市民的誇讚卻更令研製者們倍感榮耀，從中切實感受圖書館做了應該做的事情，盡了其社會責任，體現出現代圖書館的社會價值。

附錄

附錄 1　公共圖書館宣言

國際圖聯／聯合國教科文組織（1994）

社會和個人的自由、繁榮與發展是基本的人類價值。只有充分知情的公民具備了行使民主權利和發揮積極作用的能力，這些價值才能得以實現。公民對民主的建設性參與及民主的發展，依賴於良好的教育以及對知識、思想、文化和信息自由且不受限制的利用。

公共圖書館是其所在地區的知識入口，為個人和社會團體的終生學習、獨立決策和文化發展提供基本條件。

本宣言宣告：聯合國教科文組織堅信公共圖書館是教育、文化和信息的有生力量，是孕育人類內心和平與精神財富的重要機構。

聯合國教科文組織因此鼓勵國家和地方政府支持並積極參與公共圖書館的發展。

公共圖書館

公共圖書館其所在地區的信息中心，為用戶提供便於獲取的各種知識和信息。

公共圖書館的服務以平等利用為基礎，不分年齡、種族、性別、宗教信仰、國籍、語言或社會地位，向所有的人提供服務。公共圖書館須為那些因任何原因不能利用常規服務和資料的用戶，如小語種民族、傷殘人員、住院人員或被監禁人員，提供特殊的服務和資料。

所有年齡的羣體都能找到與其需要相關的資料。除傳統資料外，還應包括各種適當載體和現代技術的館藏服務。高品質、適合當地需求和條件是基本的要求。資料必須既反映社會的當前趨勢和進展方向，又保留人類奮鬥和想像的歷史記憶。

館藏和服務不應屈服於任何形式的出於意識形態、政治主張或宗教信仰的審查制度，也不應屈服於商業壓力。

公共圖書館的使命

以下重要使命與信息、讀寫能力、教育和文化相關，是公共圖書館服務的核心：

1.從小培養和加強兒童的閱讀習慣；

2.既支持各級正規教育，又支持個人教育和自學教育；

3. 提供個人創造性發展的機會；

4. 激發兒童和青年的想像力和創造力；

5. 加強文化遺產意識，提高對藝術、科學成就和創新的鑒賞力；

6. 提供各種表演藝術和文化展示的途徑；

7. 促進跨文化的對話，鼓勵文化的多樣性；

8. 支持口述傳統；

9. 保證民眾獲取各種社區信息；

10. 為地方企業、協會和利益團體提供充足的信息服務；

11. 推動信息能力和計算機素養技能的發展；

12. 支持和參與針對不同年齡層展開的讀寫能力培養和計劃，必要時主動發起此類活動。

經費、立法和網絡

公共圖書館應遵循免費原則。建立和維護公共圖書館是地方和國家當局的責任。公共圖書館必須受到專門立法的支持，必須由國家和地方政府提供經費。公共圖書館應該是所有文化、信息提供、讀寫能力培養和教育相關長期戰略的重要組成部分。

為確保全國範圍的圖書館協調與合作，立法和戰略規劃必須定義並推動一個基於公認服務標準的國家圖書館網

建設。

公共圖書館網的設計必須對其國家圖書館、地區圖書館、研究圖書館和專業圖書館,以及大中小學圖書館的關係加以考慮。

運作和管理

必須闡明清晰的政策,以定義與社區需求相關的目標、優先權和服務。必須有效地組織公共圖書館並保持運作的專業水準。

必須確保與諸如地方、區域、全國以及國際用戶團體和其他專業人員等相關夥伴的服務。

公共圖書館服務必須能為社區所有成員確實利用。這需要有選址合理的館舍、良好的閱讀和研究設施,以及相應的技術和方便用戶的開館時間。同時還要為不能到館的讀者提供館外服務。

圖書館服務必須適應農村和城市社區的不同需求。

圖書館員是圖書館用戶和館藏資源之間的能動中介。為保證充分的服務,圖書館員的專業教育和繼續教育必不可少。

必須提供館外服務和用戶教育計劃,以幫助用戶從所有資源中獲益。

宣言實施

聯合國教科文組織特此強烈要求世界各個國家和地方的決策者、全球圖書館界實施本宣言中所闡述的各項原則。

此宣言與國際圖書館協會和機構聯合會（IFLA）合作制定。

（譯文選自程煥文、張靖《圖書館權利與道德》，廣西師範大學出版社，2007）

附錄 2　圖書館服務宣言

（中國圖書館學會七屆四次理事會 2008 年 2 月 15 日通過）

圖書館是通向知識之門，它通過系統收集、保存與組織文獻信息，實現傳播知識、傳承文明的社會功能。現代圖書館秉承對全社會開放的理念，承擔實現和保障公民文化權利、縮小社會信息鴻溝的使命。中國圖書館人經過不懈的追求與努力，逐步確立了對社會普遍開放、平等服務、以人為本的基本原則。我們的目標是：

　　1. 圖書館是一個開放的知識與信息中心，圖書館以公益性服務為基本原則，以實現和保障公民基本閱讀權利為天職，以讀者需求為一切工作的出發點。

　　2. 圖書館向讀者提供平等服務。各級種類圖書館共同構成圖書館體系，保障全體社會成員普遍均等地享有圖書館服務。

　　3. 圖書館在服務與管理中體現人文關懷。圖書館致力於消除弱勢羣體利用圖書館的困難，為全體讀者提供人性化、便利化的服務。

　　4. 圖書館提供優質、高效、專業的服務。圖書館充分利用現代信息技術，提高數字資源提供能力和使用效率，以服務創新應對信息時代的挑戰。

　　5. 圖書館開展信息資源共建共享。各地區、各類型圖書館加強協調與合作，促進全社會信息資源的有效利用。

　　6. 圖書館努力促進全民閱讀。圖書館為公民終身學習提供保障，促進學習型社會的建設。

　　7. 圖書館人與一切關心圖書館事業的組織和個人真誠合作。圖書館歡迎社會各界通過資助、捐贈、媒體宣傳、志願者行動等各種方式，參與圖書館建設。

參考書目

1　李希泌、張椒華:《中國古代藏書與近代圖書館史料》，中華書局，1982。

2　謝灼華:《中國圖書和圖書館史》，武漢大學出版社，2011。

3　謝灼華:《謝灼華文集》，中山大學出版社，2014。

4　吳晞:《從藏書樓到圖書館》，書目文獻出版社，1996。

5　吳晞:《北京大學圖書館九十年記略》，北京大學出版社，1992。

6　吳晞:《天下之公器》，國家圖書館出版社，2010。

7　吳晞:《毛澤東與北京大學圖書館》，《圖書館雜誌》，1991年第2期。

8　蕭超然等:《北京大學校史》，北京大學出版社，1988。

9　王子舟：《圖書館學是什麼》，北京大學出版社，
　　2008。

10　查啟森、趙紀元：《文華公書林紀事本末》，《圖書情
　　報知識》，2008 年第 5 期。

11　吳晞、湯燕：《燕京大學圖書館紀略》，《北京高校圖
　　書館》，1993 年第 2 期。

12　潘燕桃：《近 60 年來公共圖書館思想研究》，中山大
　　學出版社，2011。

後記

　　本書為能充分反映業界在圖書館史研究方面的成果，參考和採用了多位當代學者的著述。除作者本人的論著外，全書選用資料最多的是李希泌、張椒華的《中國古代藏書與近代圖書館史料》，採用成說最多的是謝灼華的《中國圖書和圖書館史》，本書第七章主要依據王子舟《圖書館學是什麼》一書編撰，第六章第四節主要參考了查啟森、趙紀元的《文華公書林紀事本末》，第八章部分章節參照了潘燕桃《近 60 年來公共圖書館思想研究》。耑此說明，並向這些論著的作者致以由衷的謝意。

　　本書源自作者《圖書館史話》（北京：社會科學文獻出版社，2015 年，中國史話叢書）一書。原書中數據、事例、觀點多為當時的所見、所識，而後的社會發展、學術成果包括我本人的研究都有了不少新的進展和見解，這裏不便再做增訂。有此研究興趣的讀者可參看業界新的研究成果和作者近年的論著。謹此補充說明。

吳晞

2021 年 8 月於北溪之濱